Matemáticas

Cuarto grado

Matemáticas. Cuarto grado fue desarrollado por la Dirección General de Materiales Educativos (DGME), de la Subsecretaría de Educación Básica, Secretaría de Educación Pública.

Secretaría de Educación Pública
Alonso Lujambio Irazábal

Subsecretaría de Educación Básica
José Fernando González Sánchez

Dirección General de Materiales Educativos
María Edith Bernáldez Reyes

Coordinación técnico-pedagógica
María Cristina Martínez Mercado
Ana Lilia Romero Vázquez
Alexis González Dulzaides

Autores
Pilar Donají Castillo Alvarado, Víctor Manuel García Montes, Elvia Perrusquía Máximo, Miguel Ángel León Hernández, Diana Karina Hernández Castro, Jesús Manuel Hernández Soto, Alma Rosa Cantón Lojero, Christian Arredondo Díaz

Revisión técnico-pedagógica
Ángel Daniel Ávila Mujica, Daniela Aseret Ortiz Martinez, Margarita Soto Medina

Asesores
Lourdes Amaro Moreno
Leticia María de los Ángeles González Arredondo
Óscar Palacios Ceballos

Coordinación editorial
Dirección Editorial, DGME/SEP
Alejandro Portilla de Buen

Cuidado editorial
Edwin Rojas Gamboa
Citlali Yacapantli Servin Martinez

Producción editorial
Martín Aguilar Gallegos

Formación
Jéssica Berenice Géniz Ramírez, Abraham Menes Núñez, María del Sagrario Ávila Marcial, Magali Gallegos Vázquez

Portada
Diseño de colección: Carlos Palleiro
Ilustración de portada: Rocío Padilla

Segunda edición, 2011

ISBN: 978-607-469-735-3

Impreso en México
DISTRIBUCIÓN GRATUITA-PROHIBIDA SU VENTA

Diseño y diagramación
Agustín Azuela de la Cueva
Elvia Leticia Gómez Rodríguez

Ilustración
Gloria Calderas
Alain Espinosa
Santiago Rosales
Maribel Suárez
Rosario Valderrama
Felipe Ugalde

Agradecimientos
La Secretaría de Educación Pública agradece a los más de 23 284 maestros y maestras, a las autoridades educativas de todo el país, al Sindicato Nacional de Trabajadores de la Educación, a expertos académicos, a los Coordinadores Estatales de Asesoría y Seguimiento para la Articulación de la Educación Básica, a los Coordinadores Estatales de Asesoría y Seguimiento para la Reforma de la Educación Primaria, a monitores, asesores y docentes de escuelas normales, por colaborar en la revisión de las diferentes versiones de los libros de texto llevada a cabo durante las Jornadas Nacionales y Estatales de Exploración de los Materiales Educativos y las Reuniones Regionales, realizadas en 2009. Así como a la Dirección General de Educación Indígena y Dirección General de Desarrollo de la Gestión e Innovación Educativa.

La SEP extiende su un especial agradecimiento a la Organización de Estados Iberoamericanos para la Educación, la Ciencia y la Cultura (OEI) y al Centro de Investigación y de Estudios Avanzados del Instituto Politécnico Nacional por su participación en el desarrollo de esta edición.

También se agradece el apoyo de las siguientes instituciones: Universidad Nacional Autónoma de México, Centro de Educación y Capacitación para el Desarrollo Sustentable de la Secretaría del Medio Ambiente y Recursos Naturales, Sociedad Matemática Mexicana, S. C., Secretaría del Trabajo y Previsión Social, Ministerio de Educación de la República de Cuba. Asimismo, la Secretaría de Educación Pública extiende su agradecimiento a todas aquellas personas e instituciones que de manera directa e indirecta contribuyeron a la realización del presente libro de texto.

Presentación

La Secretaría de Educación Pública, en el marco de la Reforma Integral de la Educación Básica, plantea un nuevo enfoque de libros de texto, que hace énfasis en el trabajo y las actividades de los alumnos para el desarrollo de las competencias básicas para la vida y el trabajo. Este enfoque incorpora como apoyo Tecnologías de la Información y Comunicación (TIC), materiales y equipamientos audiovisuales e informáticos, que junto con las bibliotecas de aula y escolares, enriquecen el conocimiento en las escuelas mexicanas.

Este libro de texto integra estrategias innovadoras para el trabajo en el aula, demandando competencias docentes que aprovechen distintas fuentes de información, uso intensivo de la tecnología, y comprensión de las herramientas y los lenguajes que niños y jóvenes utilizan en la sociedad del conocimiento. Al mismo tiempo se busca que los estudiantes adquieran habilidades para aprender por su cuenta y que los padres de familia valoren y acompañen el cambio hacia la escuela mexicana del futuro.

Su elaboración es el resultado de una serie de acciones de colaboración con múltiples actores, como la Alianza por la Calidad de la Educación, asociaciones de padres de familia, investigadores del campo de la educación, organismos evaluadores, maestros y colaboradores de diversas disciplinas, así como expertos en diseño y edición. Todos ellos han enriquecido el contenido de este libro desde distintas plataformas y a través de su experiencia. La Secretaría de Educación Pública les extiende un sentido agradecimiento por el compromiso demostrado con cada niño residente en el territorio mexicano y con aquellos que se encuentran fuera de él.

Secretaría de Educación Pública

Conoce tu libro

El aprendizaje que adquieras al trabajar con tu libro de Matemáticas te brindará herramientas para dar solución a problemas de tu vida diaria relacionados con las matemáticas.

Tu libro de Matemáticas consta de cinco bloques que, mediante las actividades propuestas, te brindan estrategias para desarrollar tu pensamiento matemático.

Cada bloque contiene:

Lecciones

Con varias actividades que llevarás a cabo en equipo o de manera individual.

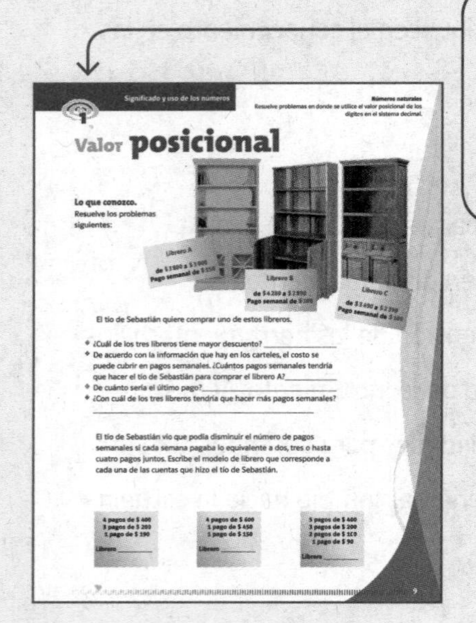

Significado y uso de los números

Números naturales
Resuelve problemas en donde se utilice el valor posicional de los dígitos en el sistema decimal.

1

Valor posicional

Lo que conozco.
Resuelve los problemas siguientes:

El tío de Sebastián quiere comprar uno de estos libreros.

- ¿Cuál de los tres libreros tiene mayor descuento? ________________
- De acuerdo con la información que hay en los carteles, el costo se puede cubrir en pagos semanales. ¿Cuántos pagos semanales tendría que hacer el tío de Sebastián para comprar el librero A? ____________
- De cuánto sería el último pago? ____________________________
- ¿Con cuál de los tres libreros tendría que hacer más pagos semanales?
  ____

El tío de Sebastián vio que podía disminuir el número de pagos semanales si cada semana pagaba lo equivalente a dos, tres o hasta cuatro pagos juntos. Escribe el modelo de librero que corresponde a cada una de las cuentas que hizo el tío de Sebastián.

4 pagos de $ 400 3 pagos de $ 200 1 pago de $ 190 Librero ________	4 pagos de $ 600 1 pago de $ 450 1 pago de $ 150 Librero ________	5 pagos de $ 400 3 pagos de $ 200 2 pagos de $ 100 1 pago de $ 90 Librero ________

9

Integro lo aprendido

Donde resolverás problemas aplicando lo aprendido en el bloque.

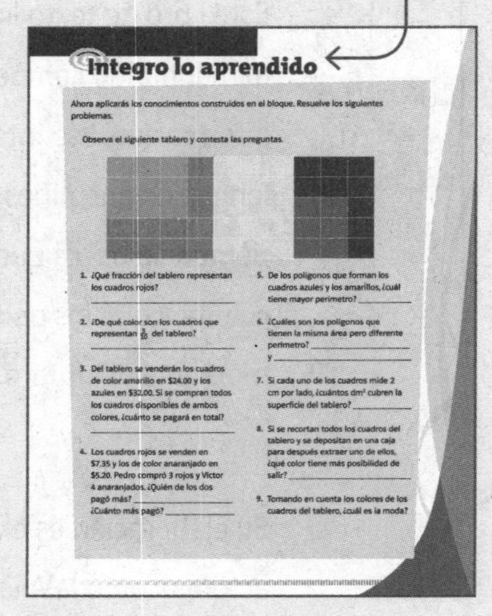

Integro lo aprendido

Ahora aplicarás los conocimientos construidos en el bloque. Resuelve los siguientes problemas.

Observa el siguiente tablero y contesta las preguntas.

1. ¿Qué fracción del tablero representan los cuadros rojos? ________________
2. ¿De qué color son los cuadros que representan $\frac{3}{10}$ del tablero? ________________
3. Del tablero se venderán los cuadros de color amarillo en $24.00 y los azules en $32.00. Si se compran todos los cuadros disponibles de ambos colores, ¿cuánto se pagará en total? ________________
4. Los cuadros rojos se venden en $7.35 y los de color anaranjado en $5.20. Pedro compró 3 rojos y Víctor 4 anaranjados. ¿Quién de los dos pagó más? ____________ ¿Cuánto más pagó? ____________
5. De los polígonos que forman los cuadros azules y los amarillos, ¿cuál tiene mayor perímetro? ____________
6. ¿Cuáles son los polígonos que tienen la misma área pero diferente perímetro? ____________ y ____________
7. Si cada uno de los cuadros mide 2 cm por lado, ¿cuántos dm^2 cubren la superficie del tablero? ____________
8. Si se recortan todos los cuadros del tablero y se depositan en una caja para después extraer uno de ellos, ¿qué color tiene más posibilidad de salir? ____________
9. Tomando en cuenta los colores de los cuadros del tablero, ¿cuál es la moda?

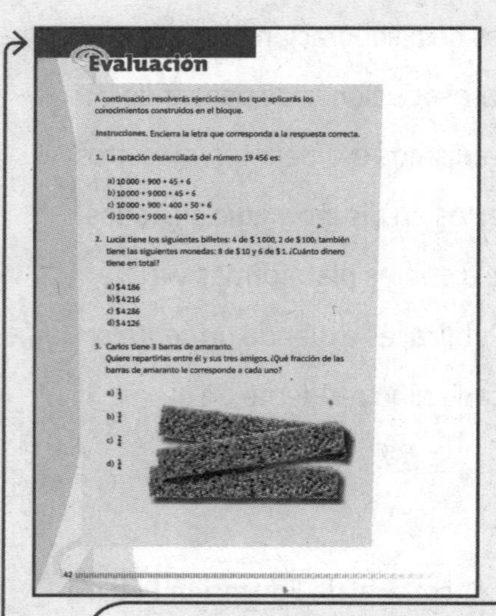

Evaluación

A continuación resolverás ejercicios en los que aplicarás los conocimientos construidos en el bloque.

Instrucciones. Encierra la letra que corresponda a la respuesta correcta.

1. La notación desarrollada del número 19 456 es:

   a) 10 000 + 900 + 45 + 6
   b) 10 000 + 9 000 + 45 + 6
   c) 10 000 + 900 + 400 + 50 + 6
   d) 10 000 + 9 000 + 400 + 50 + 6

2. Lucía tiene los siguientes billetes: 4 de $ 1 000, 2 de $ 100; también tiene las siguientes monedas: 8 de $ 10 y 6 de $ 1. ¿Cuánto dinero tiene en total?

   a) $ 4 186
   b) $ 4 216
   c) $ 4 286
   d) $ 4 126

3. Carlos tiene 3 barras de amaranto. Quiere repartirlas entre él y sus tres amigos. ¿Qué fracción de las barras de amaranto le corresponde a cada uno?

   a) $\frac{1}{3}$
   b) $\frac{3}{4}$
   c) $\frac{2}{4}$
   d) $\frac{1}{4}$

42

Evaluación

En la que te darás cuenta del avance de tu aprendizaje durante el bloque eligiendo una respuesta correcta de cuatro opciones.

Autoevaluación

Para que valores los aprendizajes y actitudes que has logrado durante el bloque.

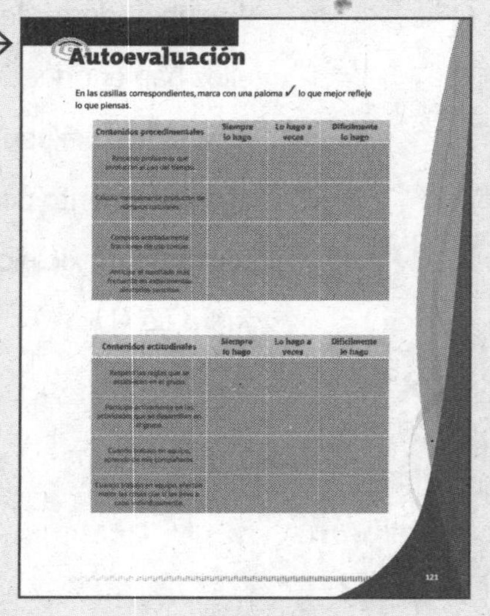

Autoevaluación

En las casillas correspondientes, marca con una paloma ✓ lo que mejor refleje lo que piensas.

Contenidos procedimentales	Siempre lo hago	Lo hago a veces	Difícilmente lo hago
[illegible]			
[illegible]			
[illegible]			
[illegible]			

Contenidos actitudinales	Siempre lo hago	Lo hago a veces	Difícilmente lo hago
[illegible]			
[illegible]			
[illegible]			
[illegible]			

121

Cada lección incluye:

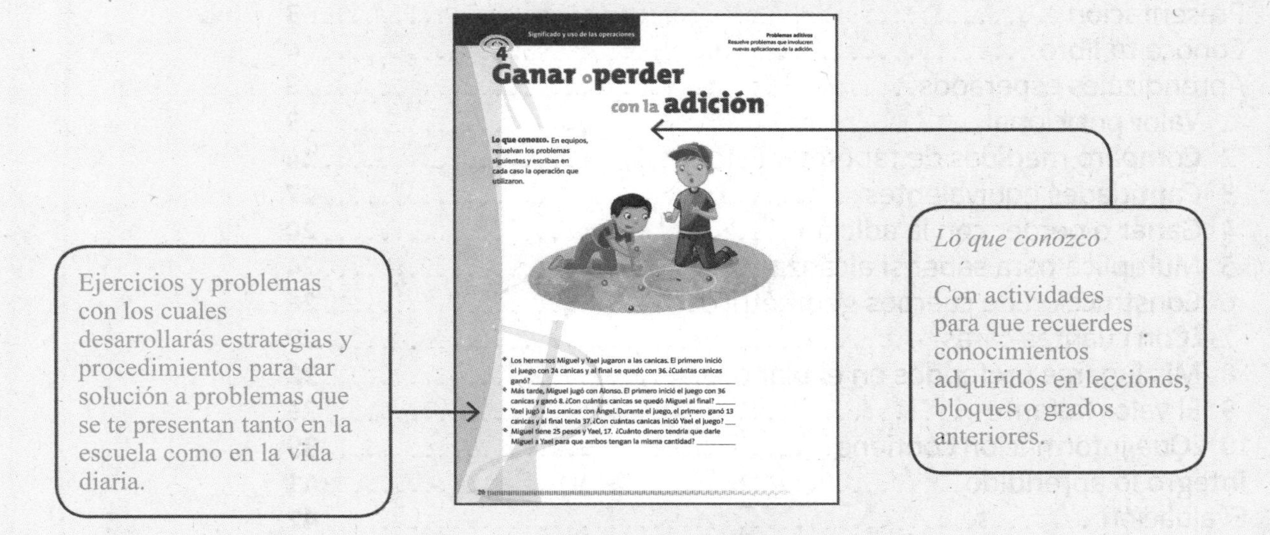

Ganar o perder con la adición
Lo que conozco
Con actividades para que recuerdes conocimientos adquiridos en lecciones, bloques o grados anteriores.
Ejercicios y problemas con los cuales desarrollarás estrategias y procedimientos para dar solución a problemas que se te presentan tanto en la escuela como en la vida diaria.

Algunas veces encontrarás las secciones siguientes:

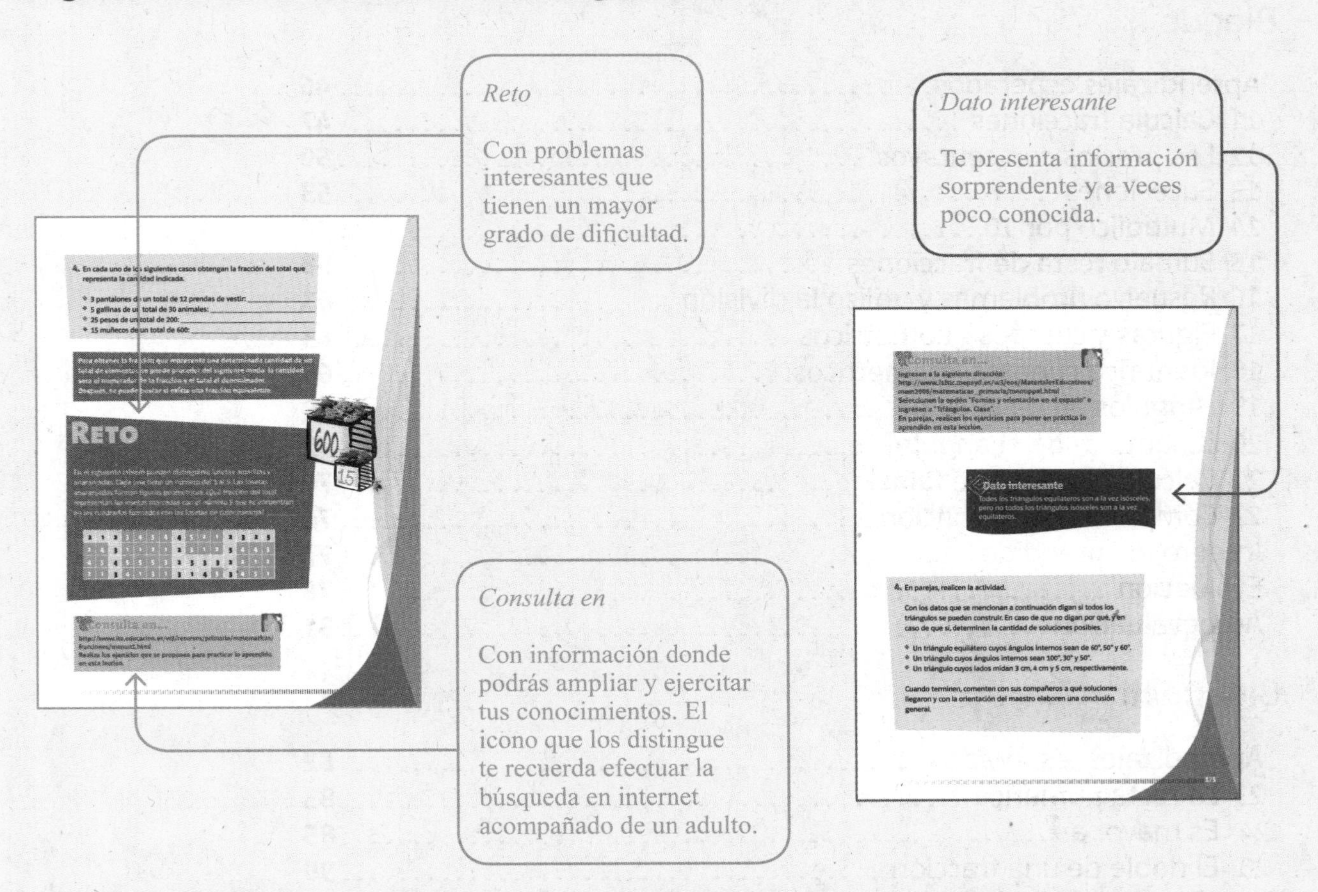

Reto
Con problemas interesantes que tienen un mayor grado de dificultad.
Dato interesante
Te presenta información sorprendente y a veces poco conocida.
Consulta en
Con información donde podrás ampliar y ejercitar tus conocimientos. El icono que los distingue te recuerda efectuar la búsqueda en internet acompañado de un adulto.

¡Continúa divirtiéndote al tiempo que aprendes e incorporas nuevas habilidades que te permitirán resolver problemas aún más interesantes!

Índice

Bloque I

Bloque II

Bloque III

Bloque IV

Bloque V

Bloque I

Aprendizajes esperados

- Resuelve problemas donde utiliza la escritura decimal de números naturales.
- Resuelve problemas donde utiliza sumas con números naturales.
- Resuelve problemas que involucran distintos significados de la multiplicación con números naturales.
- Identifica las características de cuerpos geométricos.
- Resuelve problemas de valor faltante, aplicando propiedades de una relación de proporcionalidad.
- Lee y comprende información que se encuentra en diversos portadores.

Valor posicional

Lo que conozco.
Resuelve los problemas siguientes:

El tío de Sebastián quiere comprar uno de estos libreros.

- ¿Cuál de los tres libreros tiene mayor descuento? ___________________
- De acuerdo con la información que hay en los carteles, el costo se puede cubrir en pagos semanales. ¿Cuántos pagos semanales tendría que hacer el tío de Sebastián para comprar el librero A?_____________
- De cuánto sería el último pago?_____________________________
- ¿Con cuál de los tres libreros tendría que hacer más pagos semanales?
____

El tío de Sebastián vio que podía disminuir el número de pagos semanales si cada semana pagaba lo equivalente a dos, tres o hasta cuatro pagos juntos. Escribe el modelo de librero que corresponde a cada una de las cuentas que hizo el tío de Sebastián.

4 pagos de $ 400
3 pagos de $ 200
1 pago de $ 190

Librero _________

4 pagos de $ 600
1 pago de $ 450
1 pago de $ 150

Librero _________

5 pagos de $ 400
3 pagos de $ 200
2 pagos de $ 100
1 pago de $ 90

Librero _________

Las siguientes expresiones representan las cuentas que efectuó el tío de Sebastián. Anota los números que hacen falta.

(4 × 400) + (3 ×   ) + (1 × 190) = ______________

(4 × 600) + (   ) + (   ) = ______________

(   ) + (   ) + (   ) + (   ) = ______

1. Formen equipos.

- Lean las situaciones propuestas en cada uno de los incisos.
- Después, analicen las expresiones que se encuentran en el siguiente recuadro.
- Relacionen la expresión que sirve para resolver cada una de las situaciones propuestas. Escriban debajo de cada expresión el inciso que le corresponde.
- Calculen el resultado de cada expresión.
- Anoten el resultado correcto al final de cada inciso.

(6 × 1000) + (6 × 100) + (1 × 10) Inciso:	1200 + (8 × 400) + 173 Inciso:
(4 × 800) + (5 × 250) + (6 × 20) + 3 Inciso:	(4 × 1000) + (5 × 100) + (7 × 10) + 3 Inciso:
(6 × 800) + (4 × 400) + 210 Inciso:	(4 × 1200) + (7 × 180) + 550 Inciso:

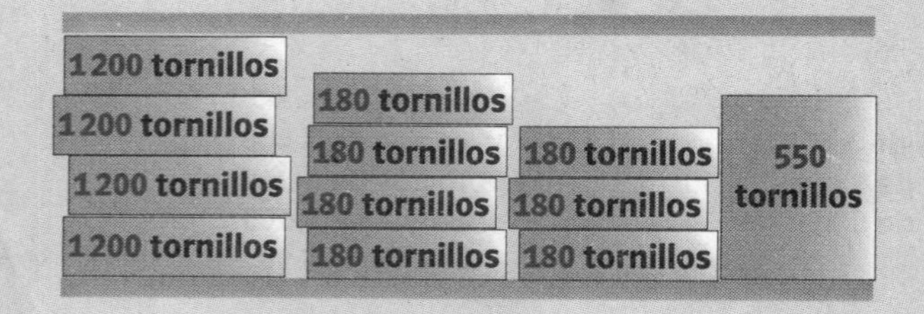

a) En uno de los estantes de una ferretería hay varias cajas con tornillos. De los más pequeños hay 4 cajas con 1 200 tornillos en cada una; de los medianos hay 7 cajas con 180 tornillos en cada una y de los más grandes hay una caja con 550 tornillos. ¿Cuántos tornillos hay en el estante?

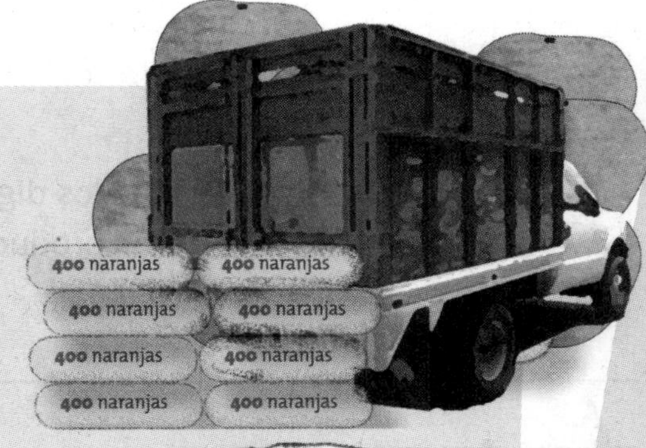

b) Fernando transporta costales de naranjas en su camión. Lleva un costal con 1 200 naranjas, 8 costales con 400 cada uno y un costal más con 173. ¿Cuántas naranjas lleva en total? ____________________

c) Un estadio de futbol cuenta con 6 secciones de 800 asientos cada una; 4 con 400 asientos cada una y una con 210 asientos. ¿Cuántos asientos hay para los espectadores? ____________________

d) La cajera de una tienda de autoservicio entregó a la supervisora 4 billetes de $ 1 000, 5 billetes de $ 100, 7 monedas de $ 10, y 3 monedas de $ 1. ¿Cuánto dinero entregó en total? ____________________

e) En un juego de boliche se ganan puntos al derribar bolos. Los bolos rojos valen 1000 puntos, los verdes 100, los anaranjados 10 y los morados 1 punto. Al derribar 6 bolos rojos, 1 bolo anaranjado y 6 de color verde, ¿cuántos puntos se ganan? ____________________

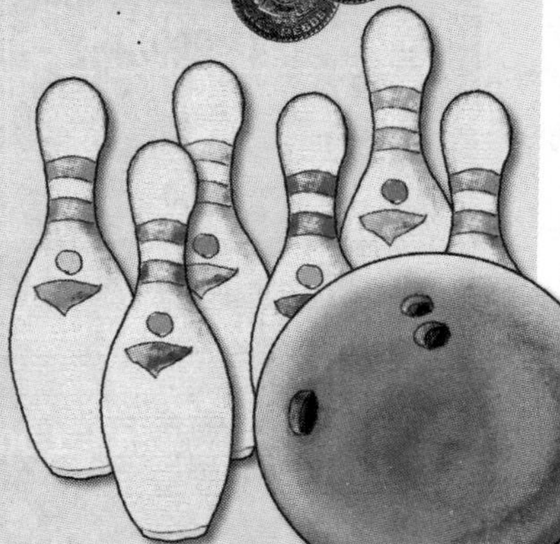

f) En una papelería se entregaron los siguientes artículos: 4 cajas con 800 gomas cada una; 5 paquetes con 250 cuadernos cada uno; 6 bolsas con 20 moños cada una, y 3 globos. ¿Cuántos artículos fueron entregados? ____________________

2. En cada renglón escribe los dígitos necesarios **0, 1, 2, 3, 4, 5, 6, 7, 8** o **9**, para que la suma de los productos sea igual al número de la extrema derecha.

A.

	×	10	+		×	1	=	23

B.

	×	10	+		×	1	=	54

C.

	×	1 100	+		×	10	+		×	1	=	307

D.

	×	1 000	+		×	100	+		×	10	+		×	1	=	1 202

Para efectuar la descomposición decimal de un número debe analizarse cómo está formado: cuántas unidades, decenas, centenas, unidades de millar, etcétera, tiene. Por ejemplo, el número 1 284 está formado por:

Unidades de millar (1 000)	Centenas (100)	Decenas (10)	Unidades (1)
1	2	8	4
1 000	100	10	1

Su descomposición decimal es:

$$(1 \times 1\,000) + (2 \times 100) + (8 \times 10) + (4 \times 1)$$

En la operación anterior, los paréntesis indican que primero se deben llevar a cabo las multiplicaciones y después se suman los resultados obtenidos en cada una.

Como regla, en una expresión como la anterior, siempre se efectúan primero las multiplicaciones y después las sumas, por lo que no es necesario escribir los paréntesis.

3. Realiza las descomposiciones de los siguientes números.

a) 7 827 = _______ × 1 000 + _______ × 100 + _______ × 10 + _______ × 1

b) 5 023 = _______ × 1 000 + _______ × 100 + _______ × 10 + _______ × 1

c) 6 410 = _______ × 1 000 + _______ × 100 _______________

d) 433 = ____

e) 3 205 = ____

RETO

Para llevar a cabo esta actividad necesitas una calculadora.

- Teclea el número 9 752. ¿Qué operación debes efectuar para que en la pantalla de la calculadora en lugar del 5 aparezca un 3?
  ____
- ¿Cuánto debes restar a 5 673 para que en lugar del 7 se muestre un 6?
  ____
- Teclea el número 1 074. ¿Qué operación debes efectuar para que en la pantalla de la calculadora en lugar del 7 aparezca un 8?
  ____
- ¿Cuánto debes sumar a 2 065 para que en lugar del 0 se vea un 3 y en lugar del 5 un 6? _______________________
- ¿Cuánto debes sumar a 3 971 para que en lugar del 3 se muestre un 4, en lugar del 9 aparezca un 0 y en lugar del 7, un 6?
  ____

2 Comparo medidas de tapetes y listones

Lo que conozco. En parejas resuelvan el problema siguiente.

A un taller donde fabrican tapetes llegó este pedido:

Pedido:
Queremos un tapete cuadrangular que tenga cuatro colores, con las siguientes características:

1. **Una parte morada cuya área sea el doble que la parte blanca y que cubra la tercera parte del tapete.**
2. **Una parte anaranjada que sea igual a la blanca.**
3. **Una parte verde igual a la morada.**

Dividan y coloreen el rectángulo para que represente un tapete que cumpla con las condiciones del pedido.

- ¿Qué fracción representa la superficie de color anaranjado?
  ____
- ¿Qué fracción representa la superficie morada?
  ____
- ¿Qué colores juntos cubren la mitad del tapete?
  ____

1. Resuelve lo siguiente.

Lupita, Rosita y Margarita juegan con sus muñecas y para peinarlas usan listones como los que se muestran a continuación:

El listón de Lupita

1 cm

El listón de Rosita

1 cm

El listón de Margarita

1 cm

❖ Midan la longitud de los listones con una regla. ¿Cuáles listones son del mismo tamaño?

____

2. Observa las ilustraciones y completa los cuadros en blanco.

Lupita necesita $\frac{1}{3}$ de listón por muñeca

Rosita necesita $\frac{1}{\square}$ de listón por muñeca

Margarita necesita $\frac{1}{\square}$ de listón por muñeca

Lee las preguntas y subraya la respuesta correcta. Emplea las tiras del Recortable 1 para ayudarte a resolver o verificar tu respuesta.

Pagina 189

- De las siguientes tiras ¿cuál es la sección más corta?

  Sección con $\frac{1}{2}$ Sección con $\frac{2}{4}$ Sección con $\frac{3}{8}$

- De todas las siguientes tiras ¿cuál es la sección más larga?

  Sección con $\frac{1}{2}$ Sección con $\frac{2}{3}$ Sección con $\frac{3}{6}$

- De todas las siguientes tiras ¿cuál es la sección más larga?

  Sección con $\frac{2}{3}$ Sección con $\frac{3}{4}$ Sección con $\frac{5}{6}$

Escribe de tres maneras distintas cómo formar una sección del mismo tamaño que la de $\frac{1}{2}$, empleando las secciones de las otras tiras.

____

____

Guarda el material, lo utilizarás más adelante.

Observa que las fracciones no están indicando cuál listón es más grande o más pequeño; sólo representan la parte del listón correspondiente.

Por ejemplo, la tercera parte del listón de Lupita es más grande que la tercera parte del listón de Margarita porque el listón que ocupó Lupita es más largo que el que ocupó Margarita.

RETO

Contesta las preguntas.

- ¿Qué fracción de un lado del triángulo grande es la longitud de lado del triángulo pequeño? __________

- ¿A qué fracción del área del triángulo grande corresponde el área del triángulo pequeño? __________

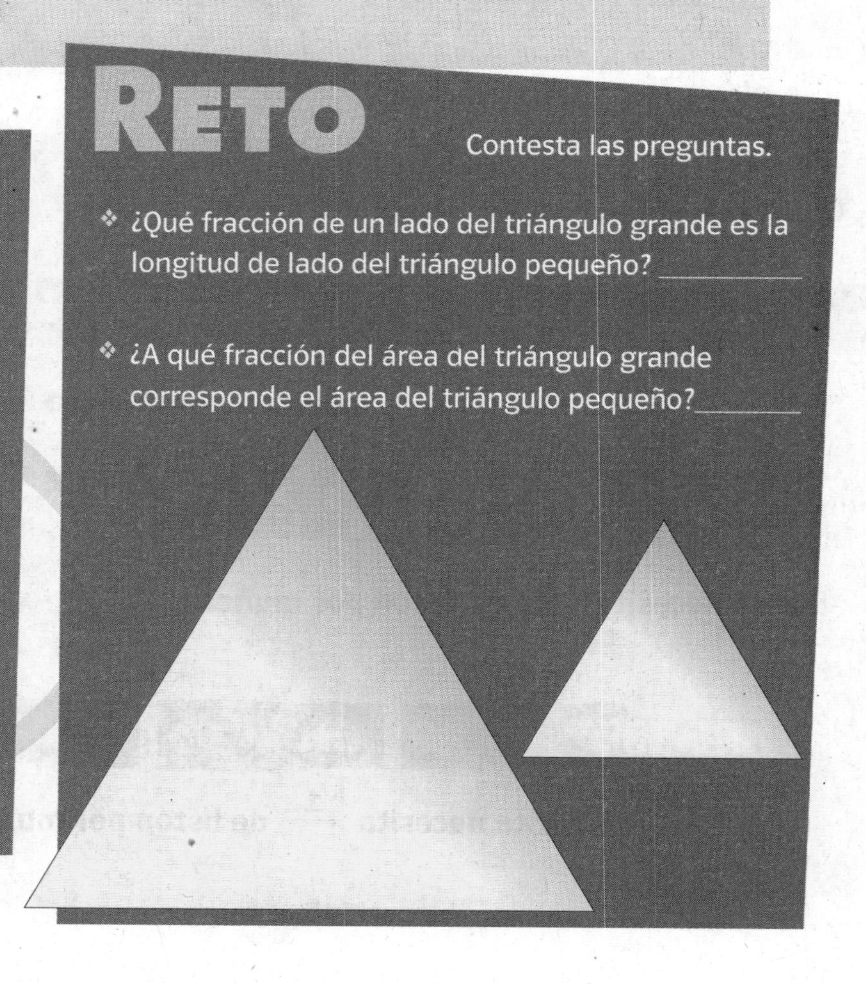

Cantidades equivalentes

Lo que conozco. Resuelve el problema siguiente.

Expresa de tres maneras distintas cómo pagarías la cantidad señalada en cada anuncio si tuvieras monedas de 10, 20 y 50 centavos; de 1 y 10 pesos, y billetes de 20, 50 y 100 pesos.

¡Sólo por hoy!
Todos los tenis a
$119.90

Forma 1: ______________________

Forma 2: ______________________

Forma 3: ______________________

4 kilogramos
$29.70

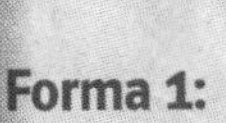

Forma 1: ______________________

Forma 2: ______________________

Forma 3: ______________________

Pelotas
$87.50

Forma 1: ______________________

Forma 2: ______________________

Forma 3: ______________________

1. En una tienda de dulces típicos mexicanos, don Luis, el dueño, suele pedir a sus clientes que le paguen el importe exacto de su compra, pues nunca tiene cambio.

Reúnete con un compañero y contesten las preguntas siguientes.

- ¿Cuánto se habrá de pagar por una cocada y un camote? ____________________
- ¿Con qué monedas o billetes pagarían si quieren usar el mínimo número de monedas? ____________________
- Si Manuel quiere comprar dos macarrones y una naranja, ¿cuánto habrá de pagar? ____________________
  ¿Cómo hace para pagar con el mínimo número de monedas?
  ____
- Si sólo cuenta con dos monedas de 10 pesos, ¿cuánto le falta para completar? ____
- ¿Con cuántas monedas de 10 pesos y de 10 centavos puede Manuel realizar su pago? ____________________
- Jaime compra seis calaveras de azúcar y seis palanquetas, pero para pagar sólo tiene un billete de 50 pesos. ¿Cuánto dinero le sobra o le falta? ____________________

Carmen tiene $95.50 y con ellos quiere comprar dulces. ¿Cuántos y de cuáles dulces de la página anterior puede comprar para gastar exactamente esa cantidad de dinero?

____

- ¿Qué tipo de dulces puede comprar Fernanda si quiere gastar exactamente $123.50?

  ____

- Comenten y comparen sus respuestas con otros compañeros. Escriban una conclusión grupal.______________________________

  ____

Para pagar con monedas o billetes, es importante conocer su equivalencia y utilizar las cantidades exactas que se requieren. Analiza la tabla.

Cantidad	Equivale a
$1.00	2 monedas de 50 ¢
$1.00	5 monedas de 20 ¢
$1.00	10 monedas de 10 ¢
$10.00	10 monedas de $1.00
$100.00	10 monedas de $10.00
$100.00	100 monedas de $1.00
$100.00	200 monedas de 50 ¢

Reto

Escribe en la tabla la menor cantidad de monedas necesarias para formar las cantidades señaladas. Utiliza únicamente monedas de 10¢, 50¢, $1, $5 y $10.

Cantidad de dinero	Número y monto de cada moneda
$38.50	
$17.40	
$29.90	
$54.60	
$87.80	

4 Ganar o perder con la adición

Lo que conozco. En equipos, resuelvan los problemas siguientes y escriban en cada caso la operación que utilizaron.

- Los hermanos Miguel y Yael jugaron a las canicas. El primero inició el juego con 24 canicas y al final se quedó con 36. ¿Cuántas canicas ganó? ____________________
- Más tarde, Miguel jugó con Alonso. El primero inició el juego con 36 canicas y ganó 8. ¿Con cuántas canicas se quedó Miguel al final? ______
- Yael jugó a las canicas con Ángel. Durante el juego, el primero ganó 13 canicas y al final tenía 37. ¿Con cuántas canicas inició Yael el juego? ___
- Miguel tiene 25 pesos y Yael, 17. ¿Cuánto dinero tendría que darle Miguel a Yael para que ambos tengan la misma cantidad? __________

1. En parejas, escriban la operación que debe calcularse para resolver los problemas siguientes:

- Una atleta corrió 5 800 m en su entrenamiento matutino y por la tarde, 3 750 m. ¿Qué distancia recorrió en total? ______________________
- Elizabeth tenía ahorrada cierta cantidad de dinero. Recibió un premio de 550 pesos con lo que reunió en total 1 300 pesos. ¿Cuánto dinero tenía ahorrado Elizabeth? ______________________
- Gloria leyó un libro de 876 páginas en dos semanas; la primera leyó 424 páginas. ¿Cuántas leyó durante la segunda semana?

  ____

Inventen un problema que se resuelva con las siguientes operaciones:

____

____

- 450 + 275 = ____________

____

____

- 3 465 – 1 275 = __________

____

____

- 6 950 + __________ = 12 500

2. Lean el problema y contesten las preguntas.

Alma manejó su automóvil en la carretera y cuando llegó a su destino advirtió que el odómetro (medidor de kilometraje recorrido) de su vehículo había aumentado hasta el kilómetro 35 478. Cuando regresó al lugar desde donde había partido observó que la distancia recorrida era de 379 kilómetros.

- ¿Qué kilometraje marcó el odómetro después de haber hecho el recorrido de regreso? ______________________

- ¿Qué kilometraje tenía el automóvil al iniciar el recorrido?

  ___

- Si Alma realiza en el mismo automóvil el recorrido dos veces, es decir, de ida y vuelta, ¿qué kilometraje indicaría el odómetro de su carro?

  ___

  ___

- El automóvil de Alma gasta un litro de gasolina por cada 12 kilómetros. Si cada litro cuesta 9.96 pesos, ¿cuánto dinero gastó por el combustible en un recorrido de 72 km?

  ___

Con base en las aportaciones de tus compañeros, explica en el siguiente espacio los procedimientos que utilizaron para encontrar los resultados.

___

___

___

___

___

___

___

RETO

Contesta lo siguiente.

- Si ahora Alma quiere realizar un recorrido de 360 kilómetros, ¿cuánto dinero gastará en combustible? ______________

Ahora completa la siguiente tabla y verifica si tu resultado es correcto.

Litros	Costo	Kilómetros
1	$9.96	12
2		
3		36
4		
5		
10	$99.6	
15		180
20		
25		
30		

- ¿Cómo te ayudó la información de la tabla en la resolución de este problema? ____
- ¿Qué otras formas encontraste para resolver el problema? ________
____
____

Problemas multiplicativos
Resuelve problemas que involucren distintas aplicaciones de la multiplicación (relación proporcional entre medidas, combinatoria) y desarrolla procedimientos para el cálculo.

5 Multiplica para saber si alcanza

Lo que conozco. En parejas, resuelvan los problemas siguientes.

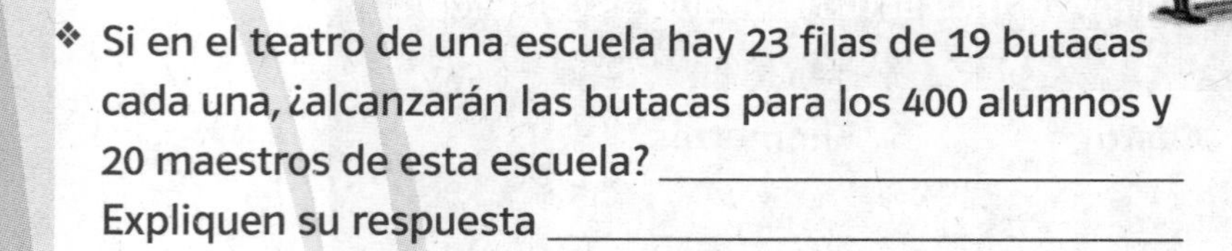

- Si en el teatro de una escuela hay 23 filas de 19 butacas cada una, ¿alcanzarán las butacas para los 400 alumnos y 20 maestros de esta escuela? ______________________
  Expliquen su respuesta ______________________

- Una bodega de la Central de Abastos distribuye naranjas a diferentes mercados. Para transportarlas utilizan costales de media gruesa (72 naranjas), una gruesa (144 naranjas) y de 30 naranjas. Si la camioneta que lleva el producto descarga 19 costales de media gruesa en el mercado Morelos, 8 costales de una gruesa en el Independencia, y finalmente 22 costales de 30 naranjas en el mercado Sinatel. ¿Cuál mercado recibió mayor cantidad de naranjas?
  ____
  ¿Cuál es la diferencia de naranjas repartidas entre los mercados Morelos e Independencia? ______________________
  ¿Y entre los mercados Sinatel y Morelos? ______________________

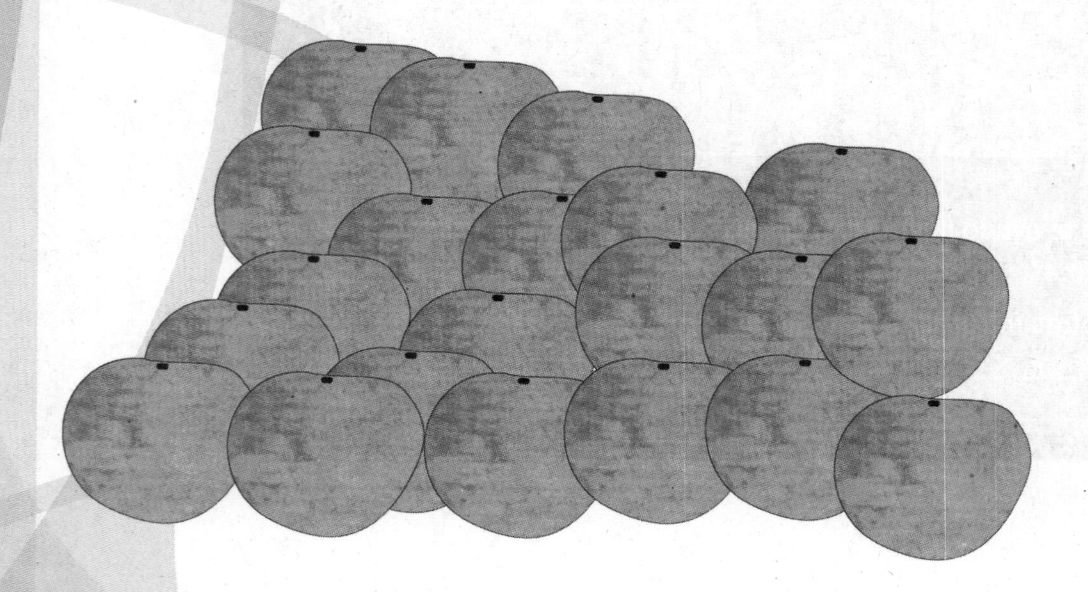

1. Resuelve los problemas y al final compara tus respuestas con las de tus compañeros.

- En un conjunto de casas se van a pintar de diferente color los techos y las fachadas observa la ilustración y determina ¿Cuántas combinaciones diferentes se pueden tener? ______

- En un restaurante se ofrece como postre alguna de las siguientes frutas: sandía, melón, piña o mango, acompañada con nieve de limón o únicamente con chile piquín. ¿Cuántos postres diferentes se pueden servir? ______
______

- A la fiesta de cumpleaños de Antonio asistirán 18 mujeres y 15 hombres. ¿Cuántas parejas diferentes de baile se podrán formar con los invitados? ______
______

2. En parejas, resuelvan los problemas siguientes.

- Una pieza de tela mide 15 m de largo por 1.5 m de ancho. ¿Cuánto mide la superficie de la tela? ______

- Un terreno de forma rectangular tiene un área de 210 m^2. De ancho mide 7 m. ¿Cuánto mide de largo? ______

- Samuel tiene 11 cajas con mosaicos cuadrados de 20 cm por lado y quiere cubrir una pared que mide 3 m de largo y 2 m de alto. Si en cada caja hay 14 mosaicos, ¿será necesario que compre más cajas? ______
¿Por qué?
______
______
______

Construcción de cuerpos geométricos

Lo que conozco. Utiliza el **Recortable 2** para formar los cuerpos geométricos. Después, escribe su nombre en ellos.

Páginas 191-199

Ahora, en la siguiente tabla, escribe los datos que faltan.

Cuerpo geométrico	Número de caras	Número de vértices	Número de aristas
Prisma triangular			
Prisma rectangular			
Cubo			
Prisma pentagonal			
Prisma hexagonal			
Pirámide cuadrangular			
Octaedro			

Conserva y guarda tus cuerpos geométricos; los utilizarás en la siguiente lección.

1. Reúnete con tres compañeros y observen la tabla. Lleven a cabo las actividades.

- Seleccionen un cuerpo geométrico y describan cómo es.
- Construyan el cuerpo que seleccionaron con popotes y bolitas de plastilina, como se muestra en las ilustraciones.
- Comparen los cuerpos geométricos que realizaron con los de los otros equipos. En las líneas siguientes describan las similitudes y diferencias que encuentren. ______________________________
____
____
____
____

¿Cuántos vértices y aristas tiene el cuerpo que construyeron?

Aristas: ______________________________

Vértices: ______________________________

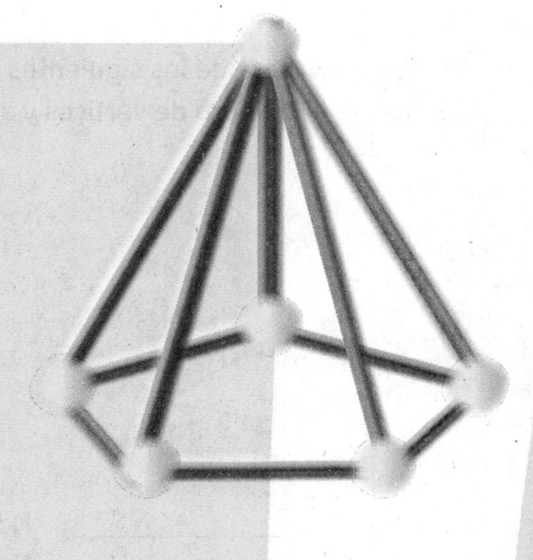

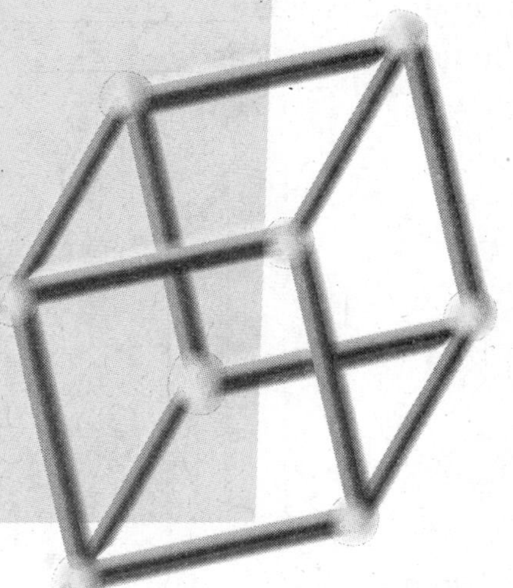

Un cuerpo geométrico es un espacio limitado por una o varias superficies.

Cada popote que colocaron para formar el cuerpo geométrico representa una arista y cada bolita de plastilina, un vértice. Los elementos de un cuerpo geométrico son:

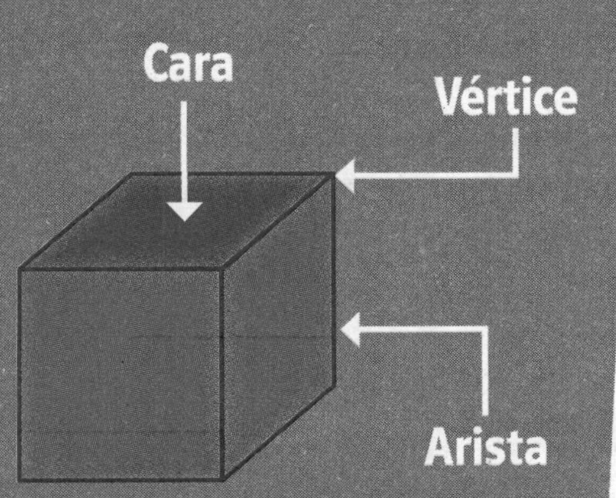

Un prisma regular es un cuerpo geométrico formado por caras laterales rectangulares y dos caras paralelas de la misma forma (poligonal) y medidas. El nombre de un prisma se determina por la forma de su base.

2. Escribe el nombre de los siguientes cuerpos geométricos y determina el número de vértices y aristas que tiene cada uno.

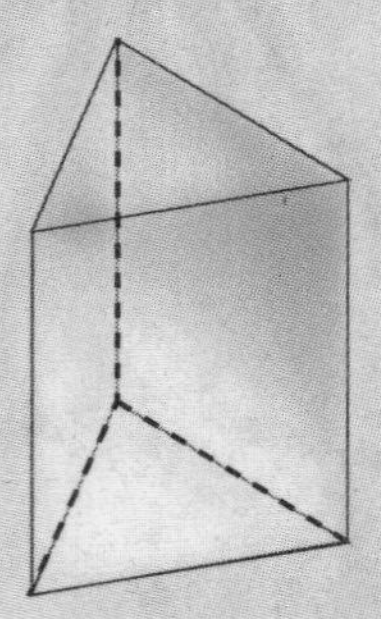

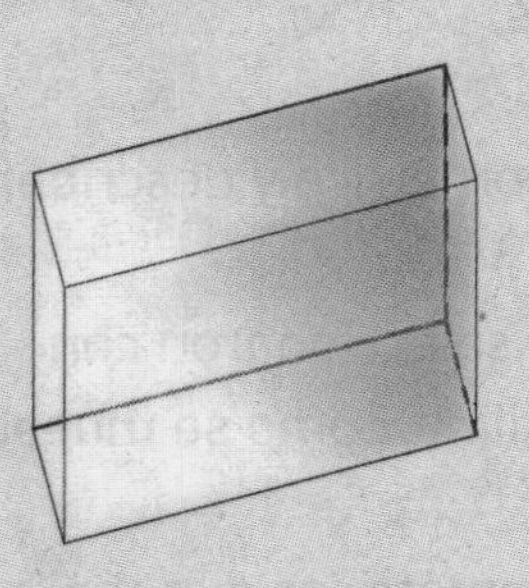

Nombre ____________________
Número de caras ____________
Número de vértices __________

Nombre ____________________
Número de caras ____________
Número de vértices __________

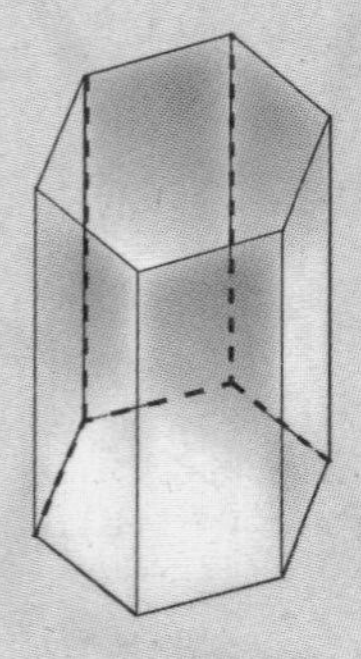

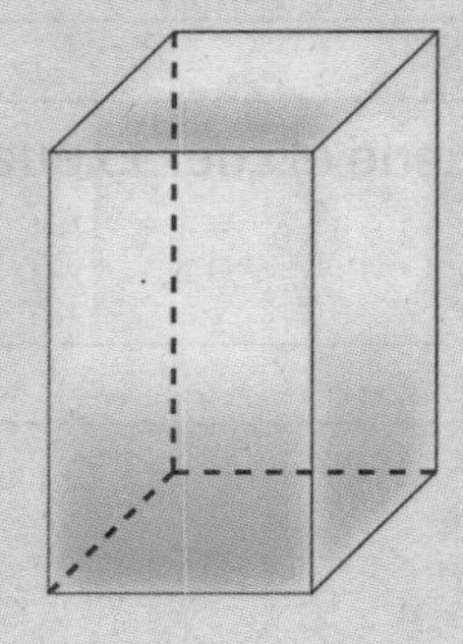

Nombre ____________________
Número de caras ____________
Número de vértices __________

Nombre ____________________
Número de caras ____________
Número de vértices __________

Recuerda que las líneas punteadas en la representación de cuerpos geométricos corresponden a las aristas no visibles.

RETO

Soy el prisma que tiene el menor número de caras posible. ¿Quién soy? ____________________________

¿Con cuántas caras?

Lo que conozco.

Reproduce la figura de la siguiente imagen en cartulina o papel bond. Recórtala y pega las pestañas. Arma con ella un cuerpo geométrico. Observa que las caras son iguales y los ángulos también.

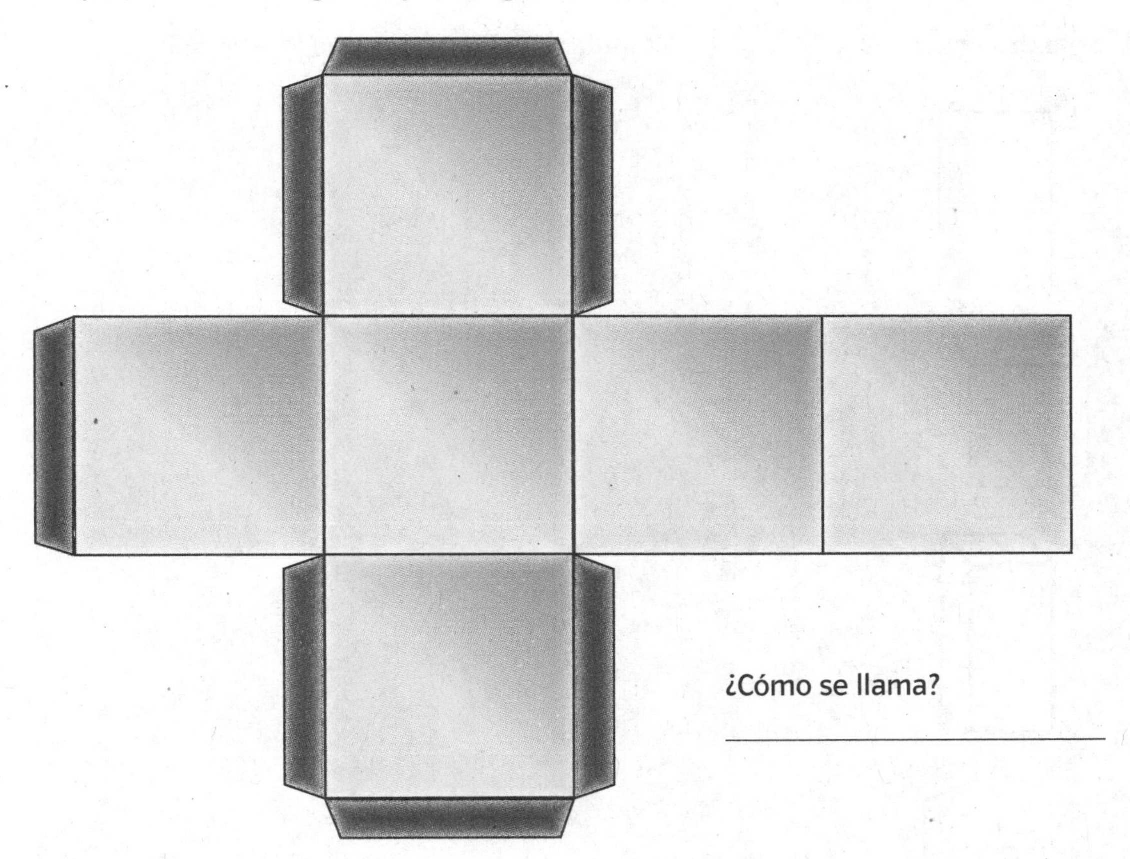

¿Cómo se llama?

____

1. A partir de las figuras que construiste en la lección anterior responde las siguientes preguntas.

- ¿Cómo son entre sí las caras del cubo? ____________________
- ¿Cuántas caras cuadradas tiene el prisma rectangular que no es un cubo? ____________________

- Entre el cubo y el prisma cuadrangular, ¿cuál tiene mayor número de caras?
____
- ¿Cuántas caras rectangulares tiene el prisma pentagonal? ____________
- ¿Cuántas caras en forma de pentágono tiene este prisma? ____________

2. Utiliza los cuerpos geométricos que formaste en la lección anterior y completa la tabla.

Cuerpos geométricos	Dibuja todas las caras que lo forman

❖ ¿Qué tienen en común las caras de estos cuerpos geométricos?

____

❖ ¿Cuántos caras rectangulares tienen los siguientes cuerpos geométricos?

Prisma triangular __________ Prisma rectangular __________

Prisma pentagonal __________ Prisma hexagonal __________

❖ En los cuerpos anteriores, ¿cuántas caras no son rectangulares?

____

Un polígono regular es una figura plana cuyos lados tienen la misma longitud y sus ángulos internos tienen la misma medida.

Cuando dos figuras tienen las mismas longitudes, los mismos ángulos y la misma forma son congruentes.

Con apoyo de su profesor descarguen el programa Poly que se encuentra en la siguiente dirección: http://www.peda.com/download/
Con este programa, exploren los sólidos platónicos que se incluyen, así como sus desarrollos planos. En equipos, seleccionen uno de los desarrollos planos para construir el cuerpo geométrico en papel.

Reto

¿Cuántas caras rectangulares tiene un prisma octagonal?

____

Mis lugares preferidos en el plano

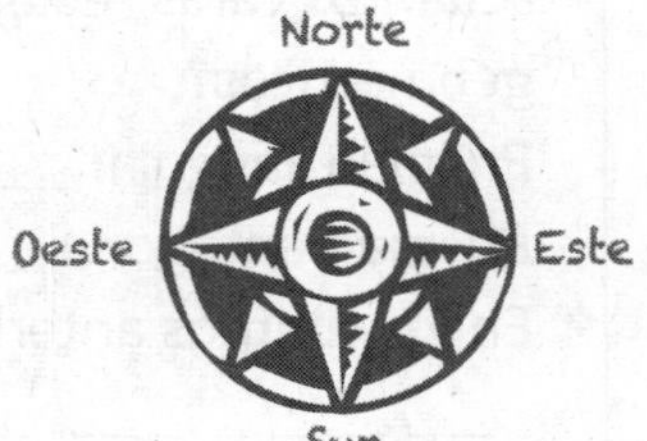

Lo que conozco.
Observa cada uno de los lugares que aparecen en el croquis y contesta las preguntas.

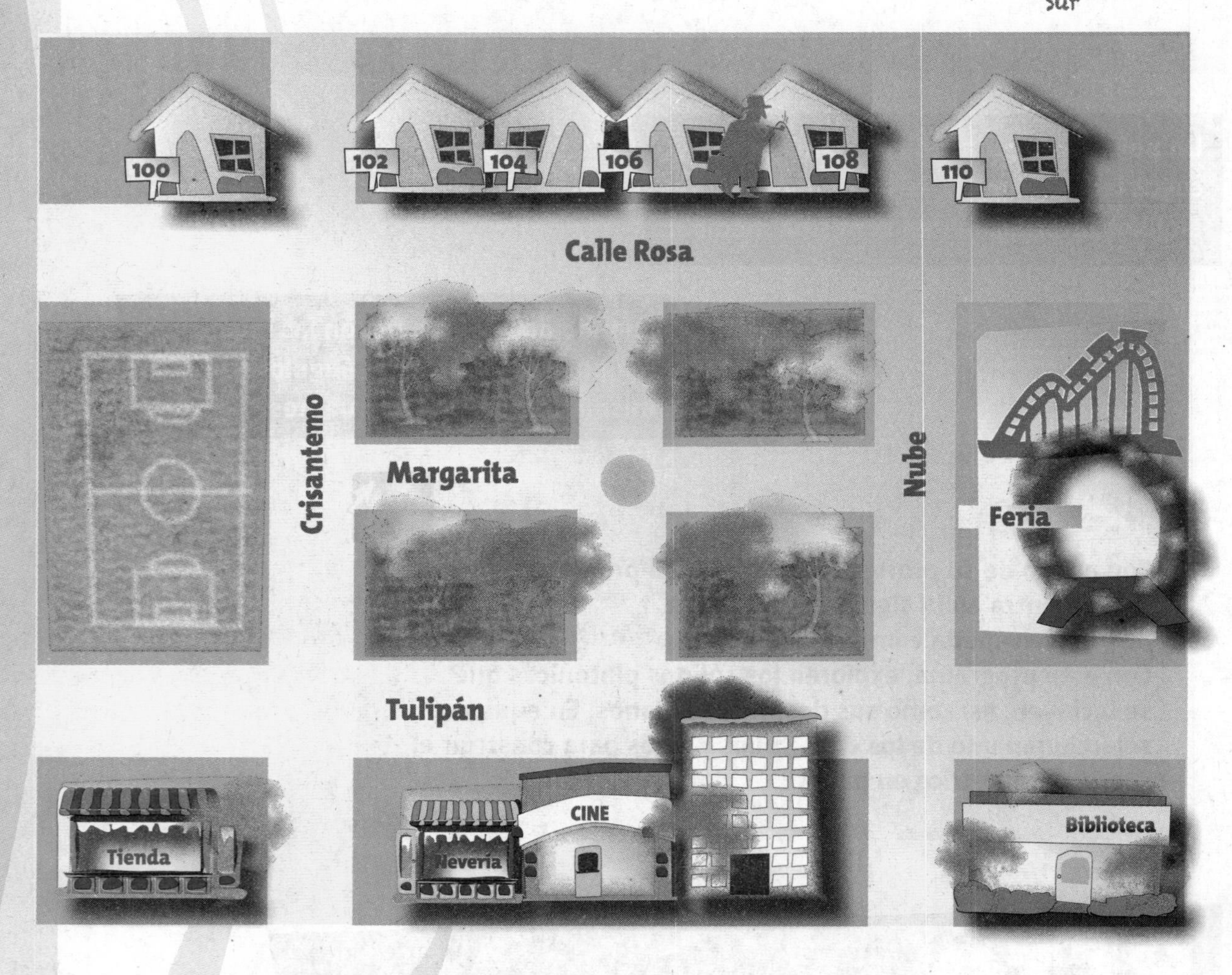

- ¿Cuáles son tus tres lugares favoritos?
  ____
- ¿A qué lugar llegará una persona que vive en la casa 110 si camina dos cuadras hacia el sur? ___________________

❖ Supongamos que vives en la casa número 108. Escribe a continuación cómo llegarías a cada uno de tus lugares preferidos.

____

____

____

____

____

1. Reúnete con un compañero. Lee en voz alta las instrucciones que sugeriste para llegar a uno de los lugares seleccionados, sin mencionar de qué lugar se trata. Tu compañero dirá a qué lugar te referiste.

❖ ¿Fue correcto el lugar que mencionó tu compañero? __________ Ahora es el turno de tu compañero. Altérnense en la lectura, de manera que los dos puedan leer las trayectorias a tres los lugares seleccionados.

Cuando se dan instrucciones para llegar a un lugar debe hacerse con claridad y precisión. Es necesario indicar el nombre de las calles, número de cuadras que tienen que recorrerse hacia el Norte o Sur, Este u Oeste. A veces resulta útil mencionar lugares conocidos como referencia, por ejemplo, la iglesia o el mercado.

La rosa de los vientos nos permite localizar en un mapa los puntos cardinales: Norte, Sur, Este y Oeste.

Dato interesante

La rosa de los vientos también es conocida como la rosa náutica; al Este se le conoce también como Oriente o Levante y al Oeste, como Occidente o Poniente.

2. Reúnete con otro compañero o compañera. Lean con atención el siguiente texto y después contesten las preguntas.

Durante la clase de geografía, Lorena y Rodrigo aprenden que Chapultepec (en náhuatl, Cerro del Chapulín) es un cerro ubicado en el poniente de la Ciudad de México, rodeado por un inmenso parque.

La maestra sugiere al grupo visitar algunos lugares mencionados en el plano y les indica que para trasladarse a estos sitios es muy importante que entiendan el plano y localicen el Norte, así como el lugar al que se desea ir.

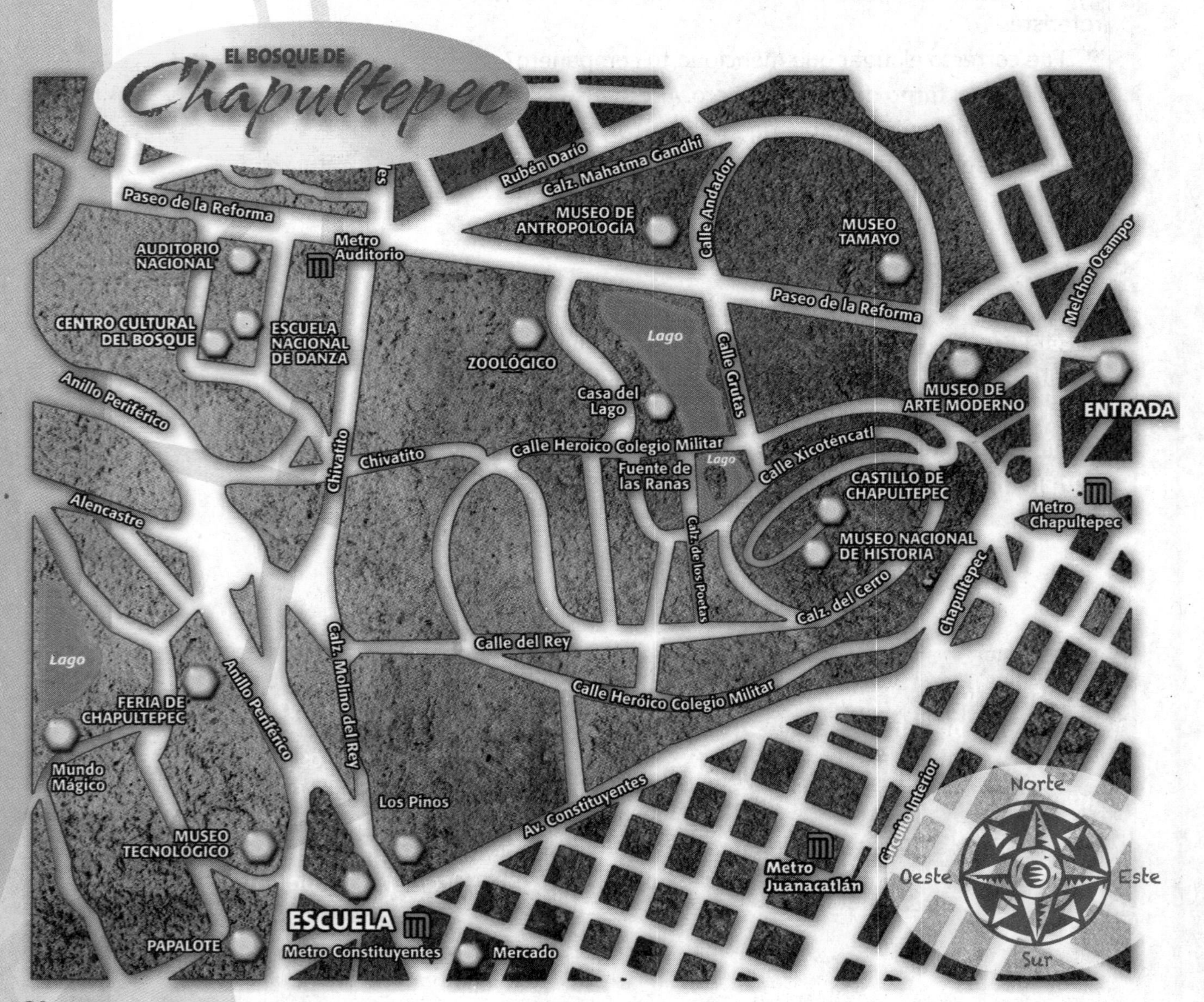

* Si están en la escuela, ¿cómo harían para llegar al Castillo de Chapultepec? ______________________________

____

____

* Sobre el plano de la página anterior, señalen con una línea de color rojo cuál sería el recorrido que realizarían para trasladarse desde la escuela hasta el Castillo de Chapultepec.
* Comparen su recorrido con el que hicieron otras parejas.
* ¿Cuál fue la opción más corta para llegar? ______________________________

____

* Un grupo de seis alumnos decidió visitar el Museo Nacional de Antropología. Así que observaron el plano y trazaron una ruta. ¿Cómo hicieron para llegar si partieron de la escuela?

____

____

* Muestren su respuesta a todo el grupo y después decidan cuál es el camino más corto para llegar al museo. Márquenlo en el plano. ______________________________

____

____

____

* Partiendo del Auditorio Nacional, describe por lo menos dos trayectos a sitios importantes que no se hayan mencionado aún.

____

____

____

* De los trayectos que elegiste, ¿cuál es el más largo?

____

¿Cuál es el más corto? ______________________________

Reto

A partir del plano determina entre qué calles se encuentra la estación del Metro Auditorio.

Resuelve problemas de valor faltante en los que se da el valor unitario, o se pregunta por él, mediante distintos procedimientos.

9

El valor faltante

Lo que conozco. Resuelve los siguientes problemas.

a) Luisa trabaja en una fábrica de camisas. Para cada camisa de adulto se necesitan 15 botones. Ayuda a Luisa a encontrar las cantidades que faltan en la siguiente tabla. Después, contesta las preguntas.

Camisas de manga larga para adulto					
Cantidades de camisas	1	6	14	75	160
Cantidades de botones	15				

- ¿Cuántos botones se necesitan para confeccionar 10 camisas? _______
- ¿Cuántos botones se necesitan para 25 camisas? _______________

b) En las camisas para niño Luisa utilizó 96 botones para 8 camisas. Ayuda a Luisa a encontrar las cantidades que faltan en la siguiente tabla. Después, contesta la pregunta.

Camisas para niño					
Cantidades de camisas	1	8	10		200
Cantidades de botones		96		1 440	

- ¿Qué puede hacer Luisa para saber cuántos botones se necesitan para 140 camisas de niño?_______________________________

1. En equipo, resuelvan el problema siguiente.

La cocina de don Beto es famosa por sus ricos tacos de cochinita pibil.

Anoten el dato que falta en cada una de las siguientes tarjetas.

Mesa: 1

Consumo: 12 tacos

Total a pagar

Mesa: 3

Consumo:

Total a pagar $150

Mesa: 2

Consumo:

Total a pagar $75

Mesa: 4

Consumo: 27 tacos

Total a pagar

2. Reúnete con un compañero para resolver este problema.
El dueño de la tienda de abarrotes del pueblo está haciendo una tabla para saber rápidamente el peso de uno o varios costales que contienen azúcar, trigo o maíz palomero. Ayúdenle a completarla y después contesten la pregunta.

Cantidad de costales	Cantidad de kilogramos de...		
	Azúcar	Trigo	Maíz palomero
1	21		
	63		78
5		170	
	420		

¿Qué pesa más, 4 costales de maíz palomero, 5 costales de azúcar, o 3 costales de trigo? ______________________

RETO

Reúnanse en equipos y resuelvan el problema siguiente.

Los alumnos de cuarto grado compraron fruta. Ayúdenles a completar el siguiente cuadro para saber cuánto compraron:

Grupo	Kilogramos por caja	Piezas en total		
		Manzanas	Peras	Duraznos
4o. A	10	50		
4o. B	8		48	80
4o. C	12	60		

¿Qué información contiene?

Lo que conozco. Resuelve el problema siguiente.

Con base en la información del anuncio respondan las preguntas:

- ¿Cuánto cuestan tres cajas de piso laminado de 6 mm de grosor?

____

- ¿Cuántas cajas de piso laminado de 6 mm cubren un piso de 16 m²?

____

- ¿Cuál es el costo total del piso laminado de 7 mm para una habitación de 12 m²?

____

Piso laminado de madera

No requiere mantenimiento térmico; aísla temperaturas; no incluye instalación

Precio por m²
6 mm de grosor: $ 200
7 mm de grosor: $ 220
Se vende por caja cerrada
Caja de 6 mm cubre 4 m²
Caja de 7 mm cubre 3 m²

1. Reúnete con un compañero y realicen lo que se indica en cada caso a partir de la información de la imagen.

AGUA SIMPLE POTABLE
CONT. NETO 1.5 L
INFORMACIÓN NUTRIMENTAL
Por 100 mL:
Contenido energético 0 kcal
Carbohidratos 0 g
Proteínas 0 g
Grasas (lípidos) 0 g
Sodio 5 mg

- ¿Qué cantidad de agua contiene la botella? _____
- ¿Cuántos miligramos (mg) de sodio contiene?

  ____

- ¿A qué cantidad de agua corresponde la información nutrimental de la etiqueta?

  ____

En la imagen de la izquierda aparece la etiqueta de un cuaderno, obsérvala y contesta las preguntas:

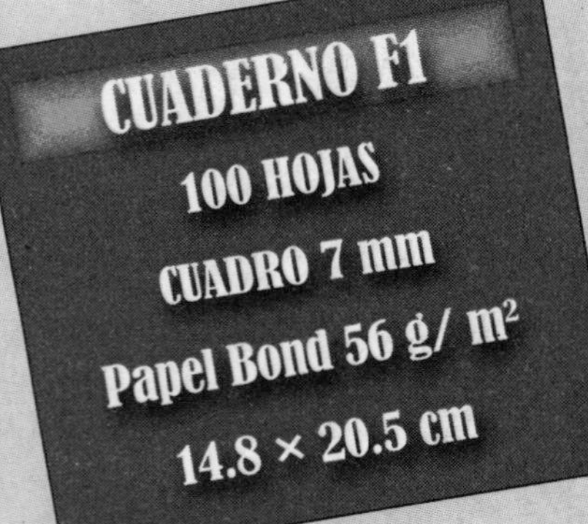

CUADERNO F1
100 HOJAS
CUADRO 7 mm
Papel Bond 56 g/ m²
14.8 × 20.5 cm

- ¿De qué forma es el cuaderno? ______________
- ¿Cuáles son las dimensiones de las hojas?

  ____

RETO

Completa la información a partir del anuncio:

¿Qué tipo de duela ofrecen?: _______________

Medidas

Grosor: $\frac{3}{8}$ de pulgada ____________________cm

Largo: ____________________________ pulgadas

Ancho: ____________________________ pulgadas

Precio por m²: ____________________________

Las ofertas del mes

LA MERCANTIL

Donde encuentra lo necesario para remodelar su casa

Duela de 1.ª

$\frac{3}{8}$ in × 28 cm × 43 cm,

$282.00 m²

Integro lo aprendido

Ahora aplicarás los conocimientos construidos en el bloque. Resuelve los siguientes problemas.

1. Laura compró una bicicleta que le costó $2 345 y Sandra compró otra que le costó $600 más cara. ¿Cuánto le costó la bicicleta a Sandra? ___________

2. En una panadería hornearon 1 530 panes en una semana. La semana siguiente hornearon 450 panes más que la vez anterior. ¿Cuántos panes hornearon en total durante las dos semanas? ___________

3. Doña Estela tenía $850 y gastó cierta cantidad en comprar ropa. Después de esa compra conservó $225. ¿Cuánto dinero gastó? ___________

4. Una caja contiene 60 bolsas con caramelos y en cada bolsa hay 25. ¿Cuántos caramelos hay en total? _____

5. Escribe el número de caras, vértices y aristas que tienen los siguientes cuerpos geométricos:

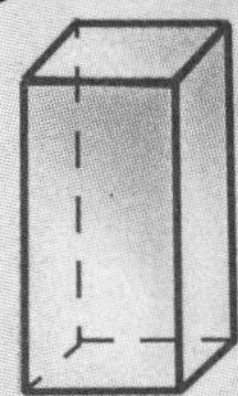

Nombre ___________
Número de caras___________
Número de vértices___________

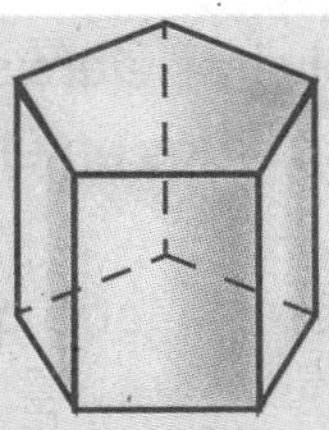

Nombre ___________
Número de caras___________
Número de vértices___________

6. Don Manuel compró gelatinas para sus 6 nietos y pagó en total $39. Todas las gelatinas costaron lo mismo. ¿Cuál era el precio de cada gelatina? _______

7. Humberto vio la siguiente promoción.

BONIFICACIÓN EN EFECTIVO DE $60.00 POR CADA $200.00 DE COMPRA en ropa de mezclilla

❖ Compró una chamarra y dos pantalones, pagando en total 580 pesos.
¿Cuánto le bonificaron?___________

❖ Su hermano se enteró de la promoción y fue a comprar también unos pantalones. En total pagó 215 pesos. ___
¿Cuánto le bonificaron?

Evaluación

A continuación resolverás ejercicios en los que aplicarás los conocimientos construidos en el bloque.

Instrucciones. Encierra la letra que corresponda a la respuesta correcta.

1. La notación desarrollada del número 19 456 es:

a) 10 000 + 900 + 45 + 6
b) 10 000 + 9 000 + 45 + 6
c) 10 000 + 900 + 400 + 50 + 6
d) 10 000 + 9 000 + 400 + 50 + 6

2. Lucía tiene los siguientes billetes: 4 de $ 1 000, 2 de $ 100; también tiene las siguientes monedas: 8 de $ 10 y 6 de $ 1. ¿Cuánto dinero tiene en total?

a) $ 4 186
b) $ 4 216
c) $ 4 286
d) $ 4 126

3. Carlos tiene 3 barras de amaranto.
Quiere repartirlas entre él y sus tres amigos. ¿Qué fracción de las barras de amaranto le corresponde a cada uno?

a) $\frac{1}{2}$

b) $\frac{3}{4}$

c) $\frac{2}{4}$

d) $\frac{1}{4}$

4. Rodrigo vende en su papelería los objetos siguientes:

Completa la tabla dibujando en el último recuadro el dinero que le sobra o le falta a cada quien para comprar el objeto.

Dinero que tiene cada niño	Objeto que desea comprar	Le falta o le sobra
Miguel: $167	Caja de colores	
Ruth: $72	Libro	
Esther: $234	Bolígrafo	
Sergio: $92	Mochila	

5. Selecciona la figura que tiene solamente un par de lados paralelos.

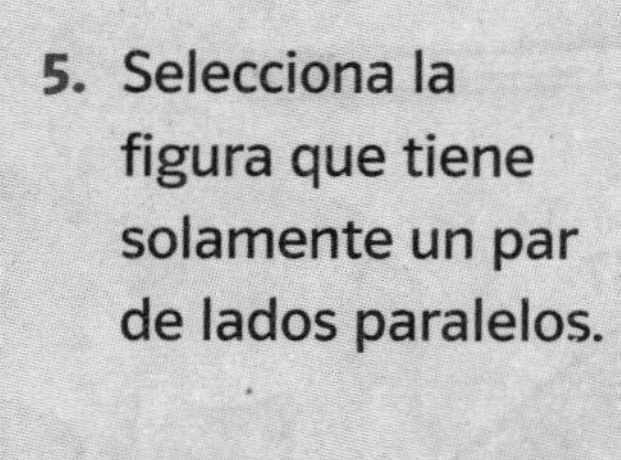

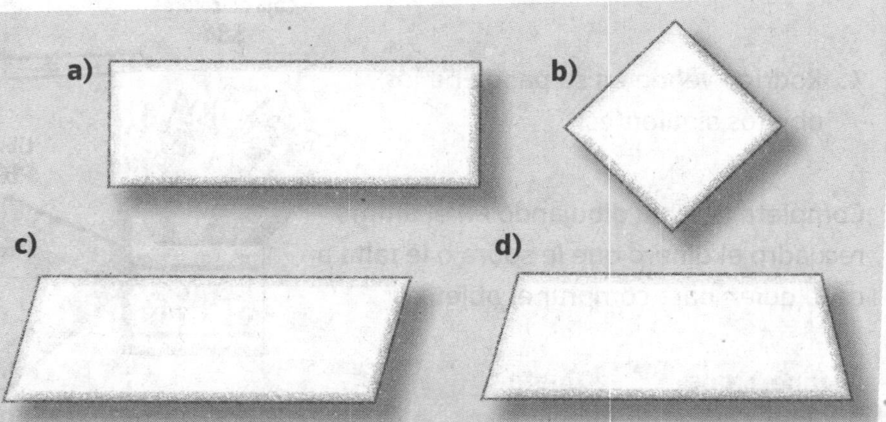

6. Doña Lupita utiliza los siguientes ingredientes para preparar un pan. ¿Qué cantidad de ingredientes necesitaría para preparar 3 panes?

Cantidad	Ingrediente
2 tazas	Azúcar
100 gramos	Mantequilla
4 piezas	Huevo
3 piezas	Naranjas
1 kilogramo	Harina

a) 6 tazas de azúcar
300 g de mantequilla
9 piezas de huevo
12 naranjas
4 kg de harina

b) 6 tazas de azúcar
300 g de mantequilla
12 piezas de huevo
9 naranjas
3 kg de harina

c) 6 tazas de azúcar
180 g de mantequilla
9 piezas de huevo
9 naranjas
3 kg de harina

d) 6 tazas de azúcar
180 g de mantequilla
12 piezas de huevo
12 naranjas
4 kg de harina

Autoevaluación

En las casillas correspondientes, marca con una paloma ✓ lo que mejor refleje lo que piensas.

Contenidos procedimentales	Siempre lo hago	Lo hago a veces	Difícilmente lo hago
Resuelvo problemas que implican encontrar el valor faltante en relaciones de proporcionalidad.			
Identifico las partes que componen los cuerpos geométricos.			
Comprendo la información que se presenta en diversos portadores.			

Contenidos actitudinales	Siempre lo hago	Lo hago a veces	Difícilmente lo hago
Me gusta trabajar en equipo.			
Cuando mis compañeros participan, escucho con respeto sus opiniones.			
Cuando trabajo en equipo, aprendo de mis compañeros.			
Cuando trabajo en equipo, efectúo mejor las cosas que si las llevo a cabo individualmente.			

Bloque III

Aprendizajes esperados

- Resuelve problemas donde determine qué fracción es una parte dada de una magnitud.
- Lee, escribe y compara números decimales hasta centésimos en contextos de dinero y medición.
- Resuelve problemas que emplean sumas o restas de fracciones.
- Resuelve problemas que involucran distintos significados de la división de números naturales.
- Identifica cuerpos geométricos mediante la descripción de sus características.
- Utiliza el transportador para medir ángulos.
- Resuelve problemas de valor faltante mediante el cálculo del valor unitario o aplicando propiedades de una relación de proporcionalidad.

Calcula fracciones

Lo que conozco. Realiza la actividad siguiente.

Imagina que el rectángulo es la cuarta parte de una palanqueta de cacahuate. Dibuja la barra completa.

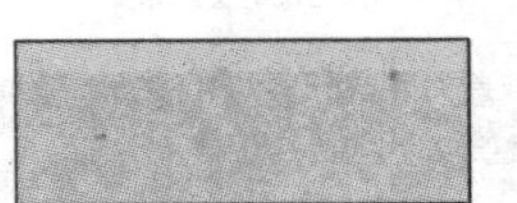

1. Observa las imágenes y contesta las preguntas.

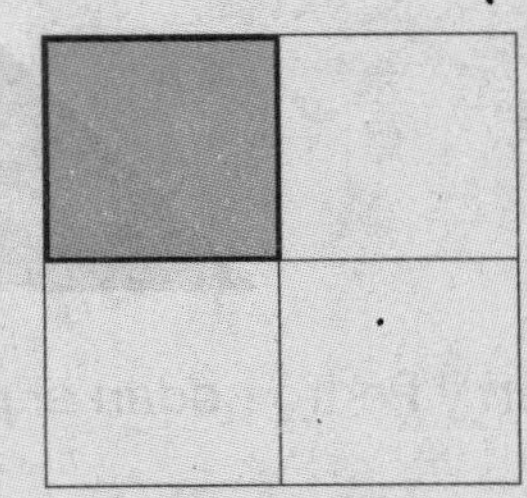

Figura A

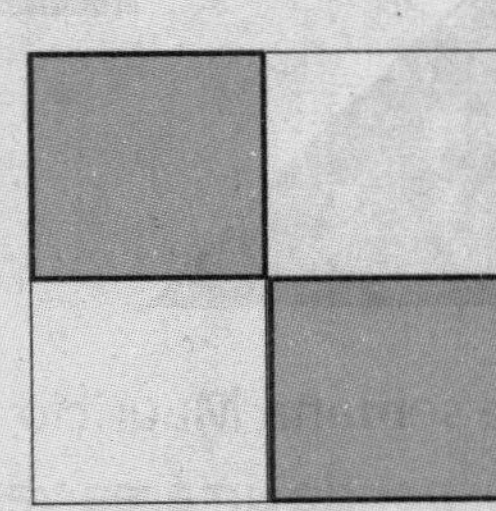

Figura B

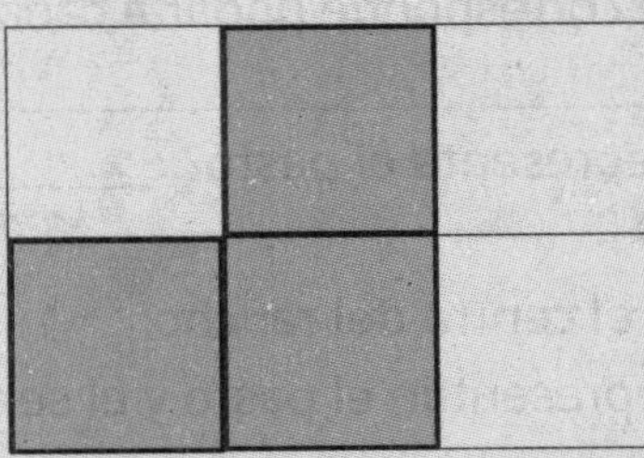

Figura C

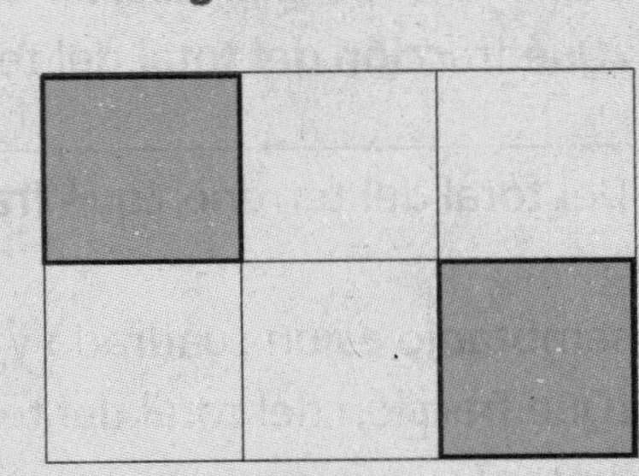

Figura D

- ¿En qué figura o figuras está coloreada la mitad de la superficie? ______________________
- ¿En qué figura o figuras está coloreada la tercera parte de la superficie? ______________________
____
- ¿En qué figura o figuras está pintada la cuarta parte de la superficie? ______________________
____

2. Realiza la actividad siguiente junto con un compañero.

El rancho donde vive Mauricio, tiene las medidas que se muestran en la imagen.

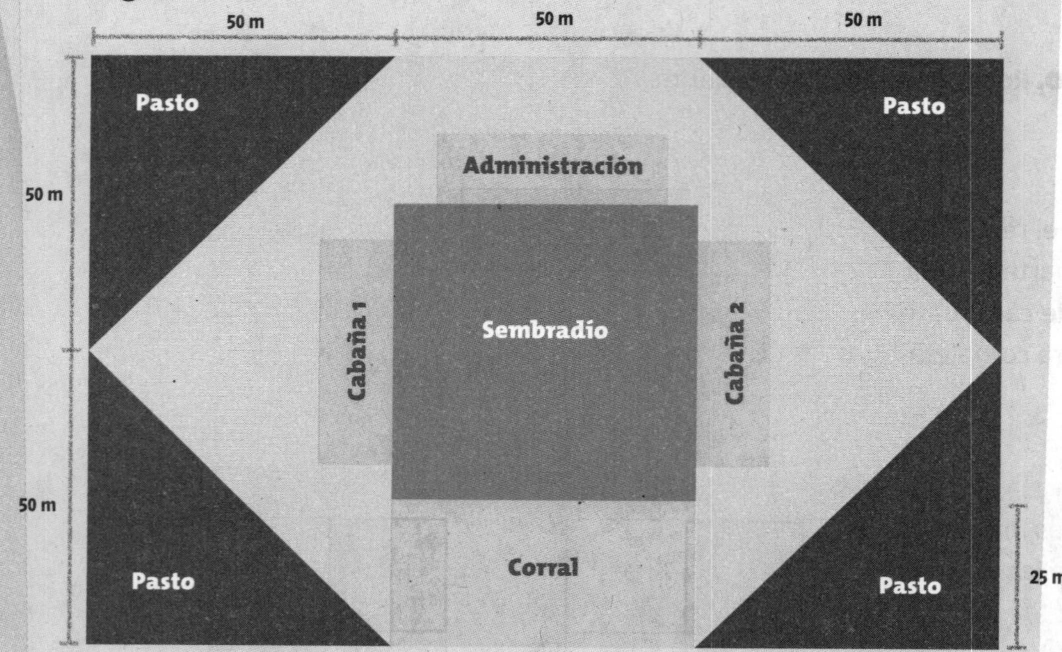

Los fines de semana Mauricio, Luis, Juan y Pedro podan el pasto; a cada uno le corresponde un área verde.

- ¿Cuánto mide el área total del rancho? ______________________
- ¿Qué fracción del total del terreno le corresponde podar a cada uno? ______________________
- Del total del terreno, ¿qué fracción representa el pasto? ____________

El sembradío es un cuadrado y está en el centro del rancho.

- ¿Qué fracción del total del terreno representan el pasto y el sembradío juntos? ______________________
- ¿Qué fracción del rancho ocupa el corral? ______________________

Consideren que las longitudes de las cabañas son de 10 m por 30 m.

- ¿Cuál es la superficie de las cabañas? ______________________
- ¿Qué fracción del total del rancho corresponde a las cabañas? ______________________

3. A continuación se describen algunas de las ventanas de las cabañas del rancho donde vive Mauricio. Dibuja en los espacios una representación de cada ventana.

- Una ventana rectangular dividida horizontalmente en 3 partes iguales y sólo una tercera parte se puede mover para abrir o cerrar. La ventana mide 4 m de largo y 1 m de alto. ¿Cuánto mide la parte que se puede abrir o cerrar? ______________________

- Una ventana que mide 180 cm de largo y 50 cm de alto y tiene forma rectangular está dividida en 9 partes iguales. ¿Cuánto puede medir cada una de las partes, para que todas sean iguales?

____

- Una ventana de 2.5 m de largo y 2.5 m de alto. ¿Qué forma tiene la ventana?

____

Si la ventana está dividida en partes iguales y una mide 0.5 m de alto y 2.5 m de largo, ¿en cuántas partes está dividida la ventana? ______________

- Una ventana en forma de octágono regular, las secciones que se abaten tienen forma de triángulos y representan $\frac{2}{8}$ partes del área total de la ventana. ¿Cómo podría estar dividida la ventana? ______________________

Utiliza correctamente el punto decimal, hasta centésimos, en contextos de dinero y medición. Lee, escribe y compara precios que impliquen pesos y centavos, escritos como números decimales.

Los precios con centavos

Lo que conozco. En parejas resuelvan la siguiente actividad.

Karime y sus amigos querían ir a la feria del pueblo, así que ella le pidió a su mamá que los llevara. Para que pudiera subirse a los juegos su mamá le dio $85.00, con lo que podría comprar también alguna golosina.

- En la cantidad $26.50, ¿qué representa el .50? ________________
- ¿Qué es más caro: subirse a dos juegos que cuestan $26.50 cada uno o comprar dos bolsas de palomitas?____________________
- Karime se subió a dos juegos de $25.00 cada uno y compró una bolsa de palomitas. ¿Cuánto dinero le sobró?

  ____
- Iván se subió a un juego de $26.50, compró una bolsa de palomitas y un vaso de agua de piña. Si le quedaron $9.00, ¿cuánto le dio su papá?______________________________
- ¿Qué procedimiento efectuaste para contestar la pregunta anterior? ____

1. En equipos respondan las preguntas.

Karime y sus amigos encontraron una báscula en la feria que indicaba el peso y la estatura. Para averiguar cuánto medían, cada uno se subió a la báscula. Iván registró en la siguiente tabla las medidas.

Karime	**1.33 m**
Iván	**1.27 m**
Sergio	**1.22 m**
Raúl	**1.19 m**
Mariana	**1.36 m**

- ¿Quién es el más alto de todos?________________
- ¿Quién es el que mide menos?________________
- Consideren la estatura de Raúl, ¿puede entrar a los juegos, dónde la estatura máxima permitida es de 1.20 m?______________________
- Expliquen sus respuestas.____________________

  ____

2. De manera individual, analiza la nota del supermercado y contesta las preguntas.

MARIANA
MIRAMONTES (GT) (303)
Tiendas Mariana SA De CV CAN991022PB6
AV CANAL DE MIRAMONTES 1022 EX S/N
13/01/2009 17:46:28 300 166 15 67
CANT. ARTICULO PRE.UNIT TOTAL
0.47 AGUACATE HAS 26.90 12.64
1 CHILE 530 19.50 19.50
1 CALAMAR ESTI 23.50 23.50
0.435 CAMOTE AMARI 17.90 7.79
1.65 CHICOZAPOTE 19.90 32.84
1 CHILE ANCHO 14.90 14.90
0.352 CHORIZO TIPO 64.50 22.70
1 CHILE ANCHO 59.90 59.90
1 VERDES 160 22.69 22.69
1 CALAMAR 13.15 13.15
0.344 LECHUGA ROJA 7.95 7.95
1 NEW YORK RAN 103.90 35.74
1 PATE DE HIGA 32.90 32.90
1 PIMIENTOS RE 38.00 38.00
1 QUESO 14.20 14.20
1 SAL DE MESA 4.90 4.90
1 CHILE ANCHO 9.11 9.11
4 QUESO 680 22.90 22.90
6 YOGHURT MANG 5.60 22.40
YOGHURT PARA 5.60 33.60
TOTAL 451.31
EFECTIVO 502.00
REDONDEO -0.01
CAMBIO 50.70
Articulos 28

- En la columna "TOTAL", ¿qué representan las cantidades que se encuentran después del punto?
____
- En la columna marcada por "CANT." (cantidad), ¿qué representan las cantidades marcadas con números decimales?________________
- ¿Cuánto se pagó por todo el yogurt?________________
- Lean en voz alta los precios de algunos artículos.

Reto

Observa las cantidades de la columna que corresponde al "TOTAL" y en tu cuaderno ordénalas de menor a mayor.

13

Sucesiones

Lo que conozco.
Resuelve las siguientes actividades.

Cuando Ángel sale de vacaciones con su familia y tiene que viajar mucho tiempo en carretera, se entretiene contando autos; escoge un color o una marca y sólo cuenta los autos con esas características.
Ángel los contó en forma descendente.
Ésta es la última parte de una de las sucesiones que obtuvo: 35, 34, 33, 32.

- Escribe en las líneas los números con los que Ángel seguirá la sucesión: hasta el 20.
  ______________________________.

Como se aburrió de contar carros, comenzó a contar ovejas de 10 en 10 para intentar dormirse y cuando llegó al primer pueblo había contado la siguiente sucesión: 10, 20, 30, 40, 50, 60, 70, 80,...

Completa la sucesión que empezó Ángel hasta llegar al 200; escríbela en tu cuaderno.

El viaje continúa por muchas horas y Ángel no puede dormir. Sigue contando, ahora de 100 en 100, empezando por el 150 y cuando llega al 3 050 por fin se duerme. Anota en tu cuaderno la sucesión de Ángel.

1. Reúnete con un compañero y lleven a cabo la siguiente actividad.

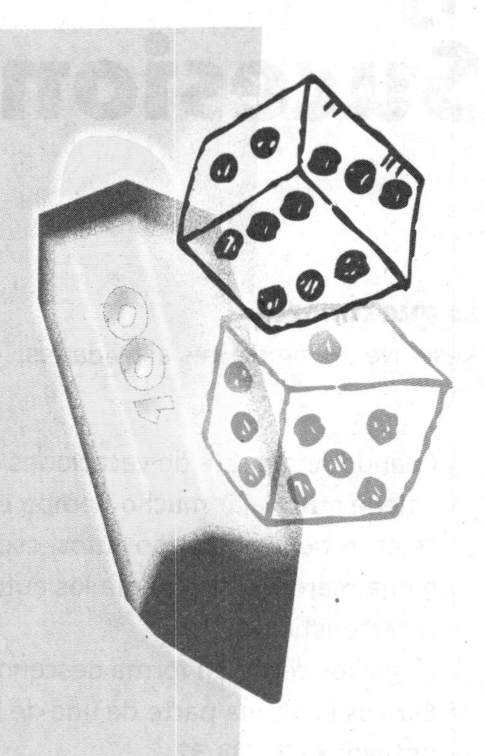

Necesitarán 2 dados y una perinola. En las caras de ésta, anotarán las cantidades 10, 100 y 1000, sin importar que se repitan.

- Lancen los dados y sumen los puntos de ambos dados. El resultado de esa suma será el primer número.
- Para obtener el siguiente número giren la perinola, sumen el número que de ahí resulte al primero, el de los dados, y escriban la cantidad obtenida

Repitan el experimento 5 veces escribiendo los números de los dados y súmenlos a los obtenidos en la perinola. Registren sus resultados en la tabla.

Primer número (suma de ambos dados)	Segundo número (perinola)	Suma total de puntos (dados + perinola)

Ejemplo: la suma de los números de los dados da como resultado el número 11, al girar la perinola se obtiene 100.
Entonces, la suma de los dados es 11, que a su vez se suma a lo obtenido en la perinola, que es 100. La suma total es 111.
11 + 100 = 111.

Ahora, hagan girar la perinola y luego lancen un solo dado. Después, resten los puntos del dado a la perinola.

Ejemplo: se hizo girar la perinola y se obtuvo el 10, al lanzar el dado salió el 4, por lo tanto la diferencia de puntos es
10 – 4 = 6
Realicen el experimento 5 veces y registren sus resultados en la siguiente tabla.

Perinola	Dado	Diferencia de puntos (perinola – dado)

Al concluir la actividad comparen sus resultados con los de otro equipo.

14 Multiplico por 10

Lo que conozco. De forma individual, resuelve la siguiente actividad.

En el salón de Sofía están organizando una rifa de 2 paquetes de programas documentales en formato DVD. El boleto para participar en la rifa del primer paquete cuesta $8.00 y el del segundo, $13.00. Lo que obtengan de la venta de los boletos, una vez que a esa cantidad se le reste lo que costaron los dos paquetes, se utilizará para realizar un convivio a fin de año. En total se imprimieron 500 boletos para cada uno de los paquetes.

- ¿Cuánto dinero obtendrán de la venta de los boletos?
  ____
- Explica cómo obtuviste el resultado.______________________
- El primer día vendieron 10 boletos para el primer paquete y 100 boletos para el segundo paquete. ¿Cuánto dinero juntaron ese día?______________________________________

- Para el quinto día sólo les quedaban 10 boletos del segundo paquete y 100 boletos del primer paquete. ¿Cuánto dinero juntaron para el quinto día?______________________________
- Describe de qué manera obtuviste la respuesta.____________________
____
- Si el primer paquete costó $800.00 y el segundo, $1 300.00, ¿cuánto dinero quedó para organizar el convivio?____________________

RETO

En equipos, realicen las siguientes actividades. Utilicen los dados y la perinola de la lección anterior.

- Primero decidirán quién comienza la actividad y continuará el compañero de la derecha.
- Cada jugador lanzará los dados y el número que obtenga de sumar los puntos de ambos será multiplicado por el número que salga al girar la perinola.
- Anota el resultado de multiplicar estos dos números.

Ejemplo: Al lanzar los dados se obtiene 2 y al girar la perinola se obtiene 10, por lo que el resultado es 20. Gana el que tenga el resultado mayor.

- Escribe una regla que permita realizar rápidamente las multiplicaciones por 10, 100 o 1 000.____________________
____
____
____
____
____

15 Suma o resta de fracciones

Lo que conozco. Realiza la siguiente actividad y escribe en tu cuaderno los cálculos que efectuaste.

El deporte favorito de Magda es el futbol y como todos en su familia lo saben, siempre le regalan balones y pelotas, que guarda en su casa. Para ordenarlos los acomodó por colores y tamaños. Al terminar se dio cuenta de que:
$\frac{1}{5}$ del total de los balones, son de color rojo, $\frac{2}{5}$ de color azul y el resto de color blanco.

De las pelotas, $\frac{4}{6}$ son más chicas que un balón de futbol profesional y $\frac{1}{6}$ es más grande. El resto son del mismo tamaño que un balón.

- ¿Qué fracción representan los balones de color blanco del total de balones? ___________
- ¿Cuál es la fracción que representa las pelotas que son del mismo tamaño que un balón? ___________
- ¿Que operaciones realizaste para contestar las preguntas?___________
- Describe lo que haces para realizar sumas de fracciones.

____

____

- Describe lo que haces para realizar restas de fracciones.

____

____

1. Resuelve los ejercicios siguientes:

a) Colorea las sumas que son iguales a ½.

b) Si lo necesitas, usa las tiras de la actividad 2 bloque 1 para contestar el siguiente ejercicio. Observa el ejemplo:

A 5 tiras de $\frac{1}{8}$ de longitud le quitamos 3 tiras de $\frac{1}{8}$, entonces nos quedan 2 tiras de $\frac{1}{8}$, cada una.

$\frac{1}{4}+\frac{1}{4}=$ | $\frac{1}{3}+\frac{1}{4}=$ | $\frac{1}{4}+\frac{1}{8}=$ | $\frac{1}{6}+\frac{2}{6}=$

$\frac{1}{3}+\frac{1}{6}=$ | $\frac{3}{8}+\frac{2}{8}=$ | $\frac{1}{4}+\frac{2}{8}=$

- Si a $\frac{5}{6}$ de tira le quitamos $\frac{2}{6}$ de tira, nos quedan _____ de tira.
- A $\frac{4}{4}$ le restamos $\frac{1}{4}$, el resultado es ____
- $\frac{7}{8}$ menos $\frac{3}{8}$ es igual a _____
- $\frac{5}{6}+\frac{3}{6}=$ _____
- $\frac{3}{4}+\frac{3}{4}=$ _____

2. Reúnete con otros compañeros y resuelvan los problemas siguientes.

a) Miguel tiene tres listones, que miden cada uno $\frac{1}{4}$ de metro. ¿Cuánto medirá la cuerda que puede formar al alinear los tres listones? ______________________

b) ¿Cuánto debe pesar la pesa que equilibra la siguiente balanza?

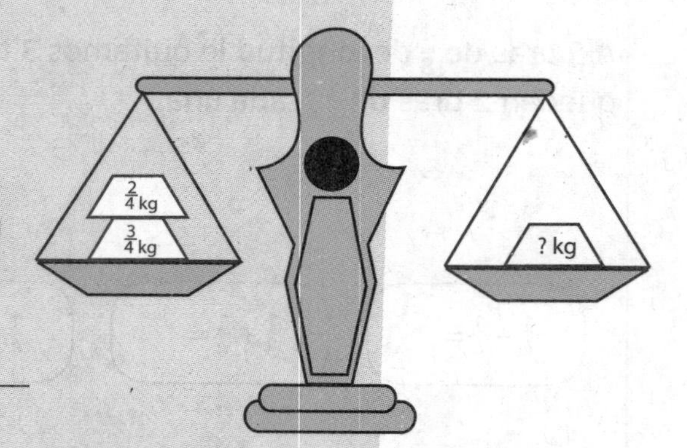

c) Una varilla que mide $\frac{4}{5}$ de metro fue enterrada verticalmente en la tierra. La parte que quedó fuera mide $\frac{2}{5}$ de metro. ¿Cuánto mide la parte enterrada? ______________________

3. Indica la fracción que está coloreada en cada dibujo.

 ________ 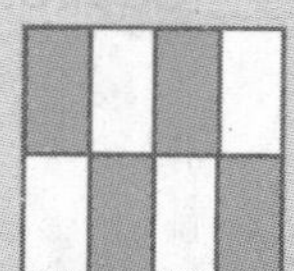 ________ 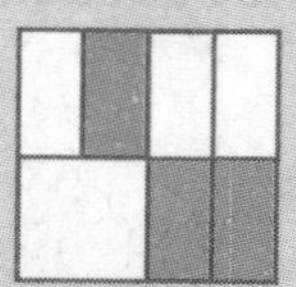 ________

 ________ 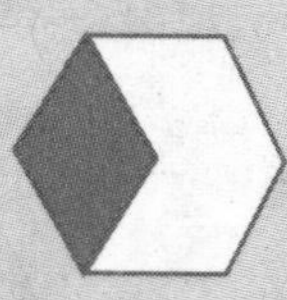 ________

RETO

Encierra las operaciones que den como resultado un número entero:

$\frac{1}{4} + \frac{3}{4} =$ $\frac{3}{6} + \frac{3}{6} =$ $\frac{2}{4} + \frac{3}{4} =$

$\frac{1}{2} + \frac{1}{2} =$ $\frac{1}{3} + \frac{2}{3} =$ $\frac{5}{8} + \frac{5}{8} =$

Representa gráficamente los resultados obtenidos.

Resuelvo problemas y utilizo la división

Lo que conozco. Contesta las siguientes preguntas, realizando las operaciones en tu cuaderno.

a) En la tienda de don Manuel, los proveedores le entregaron los siguientes productos:

69 chocolates **72 caramelos** **88 galletas**

Don Manuel llenará bolsas con las siguientes cantidades:

Contiene 13 chocolates	Contiene 6 caramelos	Contiene 11 galletas

- ¿Cuántas bolsas de chocolates llenará? ____________________
  Y ¿cuántos chocolates quedan sueltos o sin embolsar? __________
- ¿Cuántas bolsas de caramelos llenará? ____________________
  Y ¿cuántos caramelos quedan sueltos? ____________________
- ¿Cuántas bolsas de galletas llenará? ____________________
  Y ¿cuántas galletas quedan sin embolsar? ____________________

b) También le llevaron a don Manuel 32 palanquetas y tiene que empaquetarlas en 8 bolsas. ¿Cuántas palanquetas colocará en cada bolsa? ____________________

c) El domingo, don Manuel le da a cada uno de sus hijos una mesada, en partes iguales. Si él tiene 120 pesos en la bolsa y los reparte entre sus 5 hijos, ¿cuánto dinero le entregará a cada uno? ____________________

1. En parejas, resuelvan los problemas.

- En una bodega van a empaquetar 480 huevos en cajas en las que caben 24 huevos. ¿Cuántas cajas son necesarias para empaquetarlos todos? ___
- La maestra Jovita va a repartir 480 dulces entre sus 24 alumnos. ¿Cuántos dulces recibirá cada uno? ___

2. Continúen trabajando en parejas para resolver la actividad siguiente.

Nadia quiere vender galletas en su escuela.

- Para ello compró en total 140 galletas, que acomodará en bolsas con 10 galletas cada una. ¿Cuántas bolsas podrá llenar?
___
- Escribe la operación que debes realizar para resolver el problema.
___
- Si para comprar las galletas gastó $70.00, ¿cuánto costó cada bolsa?
___

RETO

Inventa dos problemas que se puedan resolver con la siguiente operación:

$4\overline{)64}$

17 Figuras y cuerpos geométricos

Lo que conozco. En esta actividad emplearán seis cajas de distintos tamaños, tres tubos de papel higiénico o latas, cuatro platos de cartón o de plástico y otros materiales similares de reúso.

En equipos de 4 o 5 integrantes sigan las instrucciones.

- Con las cajas, los tubos de cartón y los platos construyan un edificio, un muñeco, un carro o algún otro objeto.
- Una vez que hayan terminado, describan en su cuaderno el objeto que construyeron y la forma de las piezas con que lo armaron.
- Cuando terminen de describir el objeto, cambien de lugar con otro equipo y ahora describan el objeto que construyó.
- Hagan una lista con los nombres de los cuerpos geométricos que utilizaron y describan algunas de sus características.

Algunos objetos pueden representarse por medio de figuras o cuerpos geométricos; por ejemplo, un edificio se puede representar con un rectángulo en un dibujo o con una caja en una maqueta. Es decir, representamos un objeto usando figuras o cuerpos geométricos con forma o características similares.

1. Reúnete con un compañero y traten de encontrar las características de cada una de las figuras u objetos que utilizaron para realizar la actividad anterior. Después, completen las tablas.

Figuras	Características
Triángulo	Figura geométrica cerrada con 3 lados y 3 vértices.
Cuadrado	
Rectángulo	
Círculo	

Cuerpo geométrico	Características
Prisma rectangular (caja)	Tiene 6 caras, 12 aristas y 8 vértices
Cilindro (lata o tubo)	Es como un tubo con un círculo en cada extremo como bases y dos aristas circulares.
Pirámide	
Prisma hexagonal	
Cono	

- Describan cuál es la principal diferencia entre una figura y un cuerpo geométrico. ______________________________
- ¿Qué diferencias observan entre un prisma rectangular y una pirámide rectangular? ______________________________

Comparen sus resultados con sus compañeros.

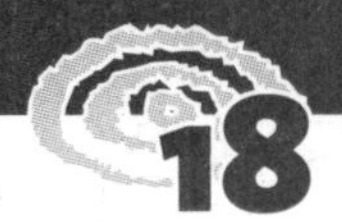

Identifico cuerpos geométricos

Lo que conozco. En la lección anterior se utilizaron varios cuerpos geométricos para recrear ciertos objetos. Entre los cuerpos que se vieron están los siguientes: cubos, cilindros, esfera, pirámides, prismas, conos.

Forma un equipo con 3 compañeros y lleven a cabo la actividad.

- Con la información de la tabla de la siguiente página elaboren tarjetas con los nombres de cada uno de los cuerpos geométricos y sus características.
- Uno de ustedes tomará una tarjeta y, sin que los demás sepan de qué cuerpo se trata, leerá en silencio la información.
- Los demás formularán preguntas para saber de qué cuerpo geométrico se trata. La condición es que sólo se puede contestar sí o no. Por ejemplo: ¿tiene 4 vértices?, ¿todas sus caras tienen la misma forma?
- Una vez que sepan cuál es el cuerpo geométrico de la tarjeta, será el turno de otro de ustedes, y al resto le tocará hacer las preguntas. Pueden repetir la actividad hasta terminar con todos los cuerpos geométricos o hasta que hayan pasado todos los miembros del equipo.

	Cuerpo geométrico	Nombre	Aristas	Vértices	Caras	Forma de sus caras
Prismas		Cubo	12	8	6	Cuadrada
		Prisma rectangular	12	8	6	Rectangular
Pirámides		Pirámide triangular	6	4	4	Triangular
		Pirámide cuadrangular	8	5	5	Triangular y una cuadrada

1. En equipos, comenten las características de los cuerpos geométricos de la tabla y anótenlas.

Cuerpo geométrico	Nombre	Características
	Cilindro	
	Cono	
	Esfera	
	Toroide	Es como una dona o un salvavidas.
	Semiesfera	

RETO

Contesta las siguientes preguntas con información de la tabla de la página anterior.

- ¿Es posible saber de qué cuerpo geométrico se trata si conocemos sus características? ____________________
  ¿Por qué? ____________________
  ____
  ____
- ¿Cuáles de los cuerpos geométricos no tienen aristas?
  ____
- ¿Cuáles de los cuerpos geométricos tienen doce aristas?
  ____
- ¿Cuántos de los cuerpos geométricos tienen seis caras? __________
  ¿Cuáles son sus nombres? ____________________
  ____
  ____
- ¿Cuántos cuerpos tienen ocho vértices? __________
  ¿Cuáles son sus nombres? ____________________
  ____
  ____

19 ¿Ángulos en un círculo?

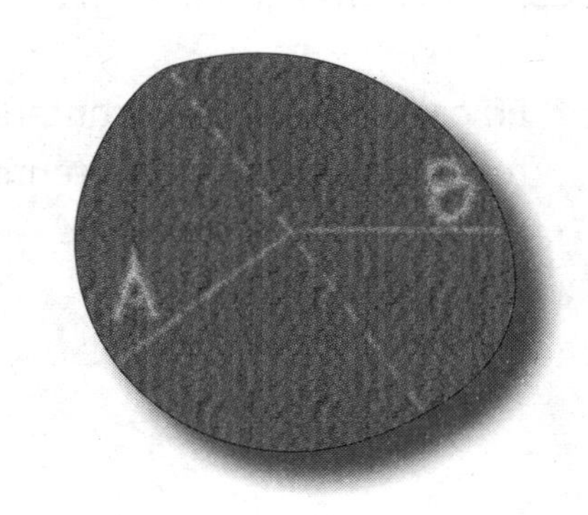

Lo que conozco. Elabora y recorta 3 círculos del mismo tamaño. Reúnete con un compañero y realicen la siguiente actividad con los círculos que ambos recortaron.

- Cada uno elija un círculo de distinto tamaño y dóblelo por la mitad. En el extremo izquierdo del doblez coloquen la letra A y en el derecho la letra B. Utilicen un lápiz para poder borrar después las letras.
- Doblen los círculos de forma que los extremos A y B coincidan para que quede dividido en 4 partes iguales; remarca las líneas con tu lápiz. En los extremos de este doblez coloquen las letras C y D, respectivamente.

Las líneas AB y CD dividen el círculo en 4 partes iguales y se les conoce como diámetros porque atraviesan la circunferencia por el centro.

Un ángulo es la abertura formada por dos semirrectas, también llamadas lados, que parten de un origen común, llamado vértice. Si giras el primer lado hacia el segundo hasta que se superpongan, la medida del giro indicará la magnitud del ángulo.

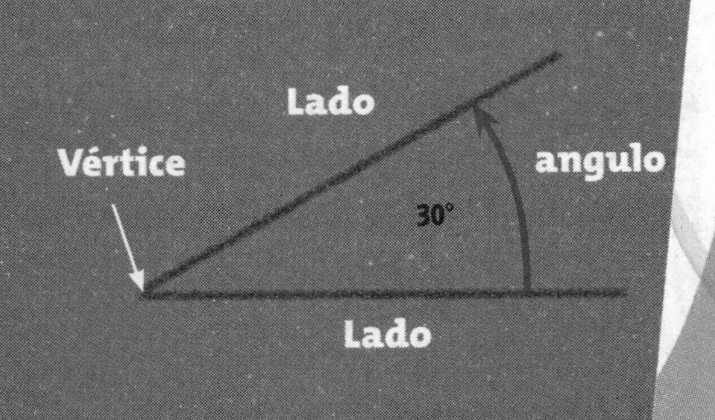

1. Continúen trabajando en pareja.

❖ En cada una de las circunferencias siguientes tracen un ángulo que tenga una abertura diferente, de manera que el vértice del ángulo se encuentre en el centro de la circunferencia.

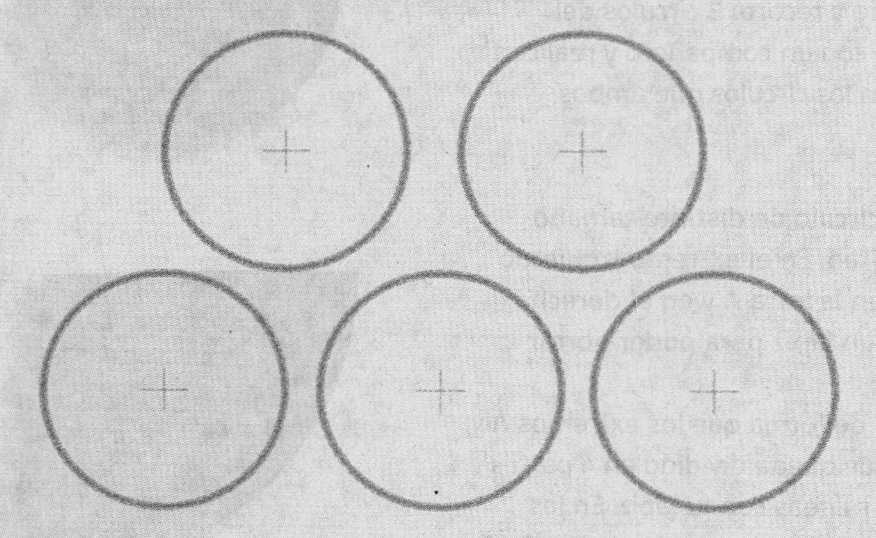

Marquen el arco en cada caso.

En el siguiente espacio tracen tres ángulos marcando la abertura de cada uno de ellos con un arco.

Para medir las distintas aberturas en los ángulos que construyeron, existe un instrumento llamado transportador. La unidad de medida de los ángulos se llama grado (°).

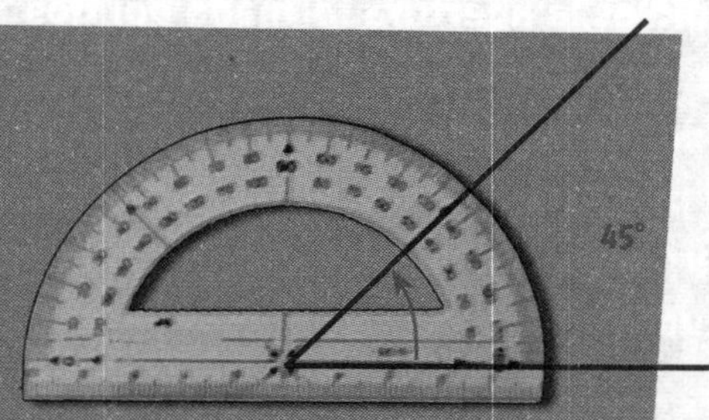

Lleva a cabo la siguiente actividad.

- Observa los ángulos que se encuentran a continuación y reprodúcelos en los cuadros correspondientes.

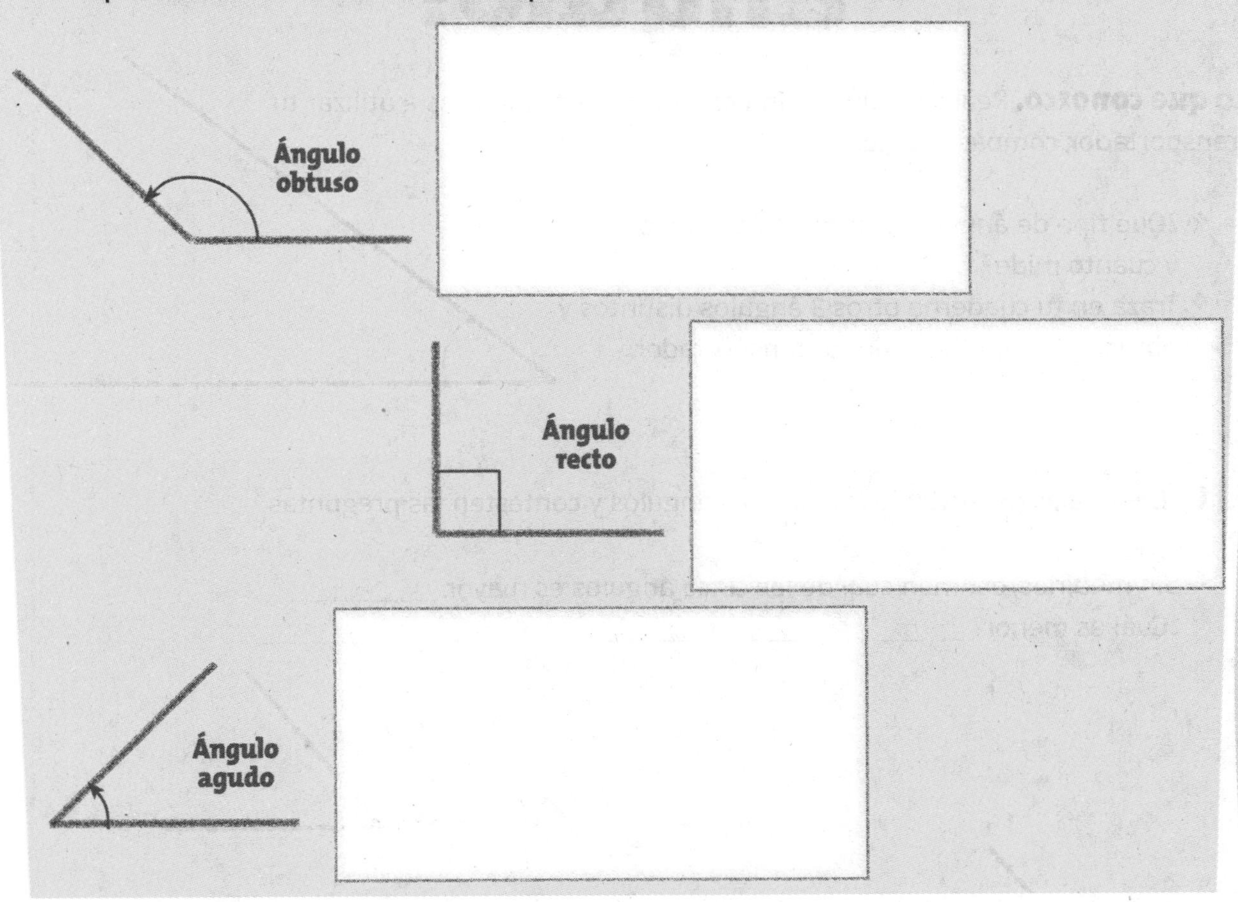

El transportador utiliza un sistema sexagesimal que divide el giro completo o el ángulo total en 6 arcos de 60 grados, por lo tanto, el giro completo mide 360 grados.

Para conocer más sobre los ángulos revisa las páginas:
http://descartes.cnice.mec.es/materiales_didacticos/Medicion_de_angulos/angulo1.htm
http://recursostic.educacion.es/descartes/web/materiales_didacticos/angulos/angulo_1.html

¿Cuánto mide el ángulo?

Lo que conozco. Realiza lo que se indica. En esta actividad vas a utilizar tu transportador, compás y regla.

- ¿Qué tipo de ángulo se forma en el dibujo y cuánto mide?
- Traza en tu cuaderno otros 3 ángulos distintos y obtén su valor utilizando tu transportador.

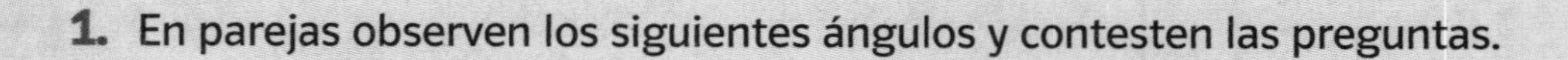

1. En parejas observen los siguientes ángulos y contesten las preguntas.

- Sin medirlos, estimen cuál de los cinco ángulos es mayor. ____________
- ¿Cuál es menor? ____

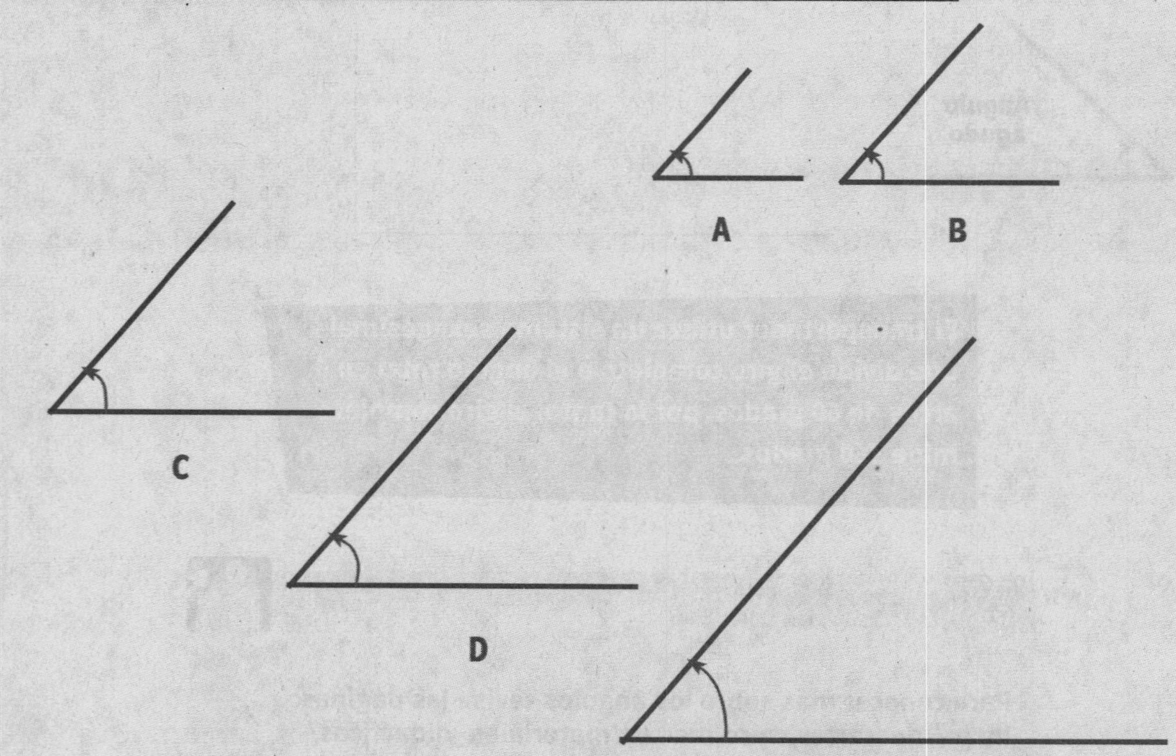

❖ Utilicen el transportador para medir cada ángulo. Escriban los resultados a continuación:

A ____________ D ____________

B ____________ E ____________

C ____________

❖ Los resultados que obtuvieron ¿coincidieron con sus respuestas anteriores? ____________

¿Por qué? ____________

____

2. Traza los ángulos en tu cuaderno según la medida que se indica y escribe sobre las líneas el tipo de ángulo del cual se trata.

60° ____________

78° ____________

125° ____________

158° ____________

180° ____________

RETO

Señala y mide todos los ángulos que encuentres en la siguiente letra.

Consulta en...

Con apoyo de un adulto ingresen a la siguiente dirección:
http://nlvm.usu.edu/es/nav/frames_asid_178_g_3_t_1.html?open=activities&from=topic_t_1.html+recta+numerica+simulador&cd=3&hl=es&ct=clnk&gl=mx

En parejas, escriban en sus cuadernos las instrucciones necesarias para que la tortuga recorra el laberinto, después prográmenlas en el sitio electrónico y pruébenlas. Corrijan las instrucciones que sean necesarias.
¿Lograron en el primer intento identificar el sentido y los grados de cada giro?

21 Calculo el valor que falta

Lo que conozco. En equipos lean el siguiente texto y completen la tabla.

Una de las festividades favoritas de Gabriela es el día de muertos, así que ayuda a su mamá a poner la ofrenda en su casa. Para ésta necesitan diferentes objetos que compran en el mercado. Una docena de flores cuesta \$30.00; 3 calaveritas de azúcar, \$20.00; 5 pliegos de papel picado, \$10.00; el paquete de 5 veladoras, \$27.00 y 10 varitas de incienso de copal, \$15.00.

Objeto	Cantidad	Precio
Flores	1 docena	

1. Ahora, resuelvan los problemas siguientes efectúen las operaciones en su cuaderno. Utilicen la información que organizaron en la tabla.

- Si compraron 8 pliegos de papel picado, ¿cuánto pagaron? ______
- Pusieron en la ofrenda 8 calaveritas y quedó una para comérsela entre Gabriela y su mamá. ¿Cuánto dinero gastaron en las calaveritas? ______
- Únicamente compraron 2 varitas de incienso de copal. ¿Cuánto pagaron por cada una? ______
- ¿Qué procedimiento efectuaste para responder las 3 primeras preguntas? ______
- Gabriela llevó a su escuela $1\frac{1}{2}$ docena de flores, ¿cuánto gastó? ______
- Su amiga Rosa le pagó $\frac{1}{2}$ docena de las flores. ¿Cuánto dinero le dio? ______
- Gabriela le pide a Juan que compre 15 pliegos de papel picado. ¿Cuánto le falta a Juan si tiene $20.00? ______
- Daniel contribuirá con 12 calaveritas, ¿cuánto dinero necesita para comprarlas? ______
- Ruth comprará 4 paquetes de veladoras y tiene $54.00. ¿Cuánto le falta para completar? ______

Verifica los resultados con tus compañeros.

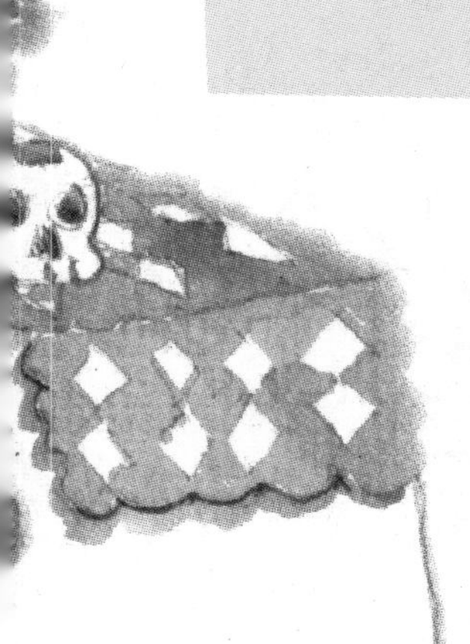

Completa la información

Lo que conozco. Completa las siguientes tablas. Cuando sea necesario, utiliza información de la lección anterior.

Número de flores	Precio ($)
6	
12	30
24	
	90
48	
	150

Pliegos de papel	Precio ($)
1	
5	10
	20
12	
	44
29	

Calaveritas	Precio ($)
3	20
6	
	60
12	
	100
18	

Veladoras	Precio ($)
5	27
	54
15	
	108
30	
	216

1. Ahora, responde las siguientes preguntas.

- ¿Qué operaciones efectuaste para completar las tablas? ______________________
- ¿Tuviste que calcular el valor de una calaverita para saber cuánto costaban 18 de ellas?____________
  ¿Por qué? ____
- ¿Hay alguna otra forma para obtener el mismo resultado? Descríbela.
  ____
- ¿Se puede llevar a cabo el mismo procedimiento para calcular el número de veladoras por las cuáles pagaron $216.00?
  ____

Compara tus resultados con los de otros compañeros.

Integro lo aprendido

Ahora aplicarás los conocimientos construidos en el bloque. Resuelve los siguientes problemas.

1. La herencia que recibió Juan de parte de sus padres es un terreno cuya área mide 400 m^2. Juan construyó en $\frac{1}{4}$ del total del terreno. ¿Cuánto mide el área del terreno en la que construyó Juan? ____________________

2. Blanca y Carolina ahorraron durante un año las cantidades siguientes. La cantidad de dinero que cada una ahorró fue: Blanca $1 450.60 y Carolina $2 095.50.

Escribe con letra la cantidad de dinero que ahorró cada una.

- Blanca ____________________
____
- Carolina ____________________
____
- ¿Quién de las dos ahorró más? __________

3. Luis está cargando una bolsa en la que tiene $\frac{1}{4}$ kg de queso y $\frac{3}{4}$ kg de frijol. ¿Cuál es el peso de la bolsa que carga Luis? ____________________

4. Sandra va a empaquetar 475 lápices en cajas en las que sólo caben 25. ¿Cuántas cajas necesitará para guardar todos los lápices? __________

5. Las ganancias de un negocio van a repartirse en partes iguales entre 12 socios. Las del fin de semana fueron $3 840.00 ¿Cuánto corresponderá a cada uno? ____________________

6. Miguel construyó un cuerpo geométrico. A partir de la siguiente descripción, escribe el nombre de dicho cuerpo. Tiene 2 caras paralelas de forma hexagonal, 12 vértices y 6 caras rectangulares. ______________

7. Perla debe trazar 3 ángulos, ayúdale a hacerlo, pero considera las siguientes indicaciones:

Uno menor que 90° pero mayor que 75°.
Otro que mida 45°.
Finalmente, otro que mida 30°.

8. Lucy y Carmen fueron a la papelería La Fabulosa y compraron cada una los mismos tipos de cuadernos. Lucy compró 4 y pagó $50.00. Carmen compró 2 y pagó $25.00. ¿Cuál es el precio de un cuaderno? ______________

Evaluación

A continuación resolverás ejercicios en los que aplicarás los conocimientos construidos en el bloque.

Instrucciones. Encierra la letra que corresponda a la respuesta correcta.

1. La señora María compró un librero para que sus 3 hijos acomodaran sus libros. En qué imagen está coloreada la parte del librero que debe ocupar cada hijo.

a) 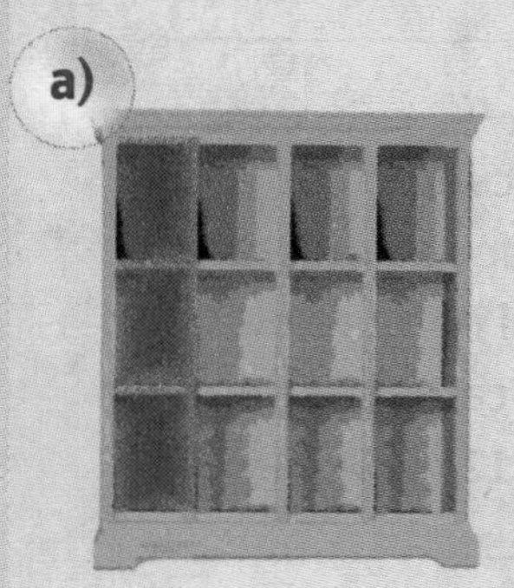

c) 

b) 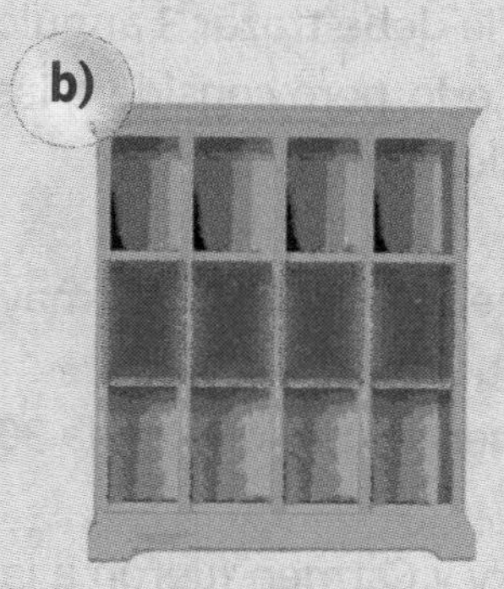

d) 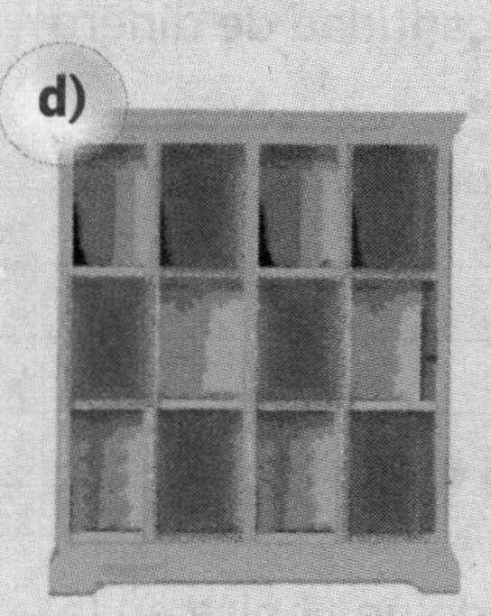

2. Iván y tres amigos más participaron en una carrera de bicicletas. En 10 minutos habían recorrido las siguientes distancias:

Iván: 235.06 m
Carlos: 253.60 m
Raúl: 253.06 m
Juan: 235.60 m

¿Quién de ellos recorrió doscientos cincuenta y tres metros, seis centímetros?

a) Iván
b) Carlos
c) Raúl
d) juan

3. Anita vive en Chihuahua y fue a la Ciudad de México a visitar a una amiga que vive en la calle de Juárez número 859. Pero el autobús la dejó en el número 359. Con el fin de saber cuántos números le faltaban para llegar, ella hizo la siguiente sucesión:

359 – 459 – 559 – 659 – 759 – 859

A partir de este número, ¿cuántos le faltan para llegar a la casa de su amiga marcada con el número correspondiente?

a) 45
b) 50
c) 460
d) 500

4. En la huerta de Rosita están sembradas $\frac{2}{7}$ partes con manzanos y $\frac{3}{7}$ partes con naranjos. ¿Cuál opción representa el total de terreno dedicado a la siembra con esos dos tipos de árboles?

5. Se tienen 2 160 naranjas y se quiere empaquetarlas en bolsas de 18 naranjas cada una. ¿Cuántas bolsas se necesitarán para empaquetar el total de las naranjas?

a) 2 178
b) 2 142
c) 138
d) 120

6. ¿Cuál de los siguientes cuerpos geométricos reúne las siguientes características: tiene vértices, aristas y sólo una base?

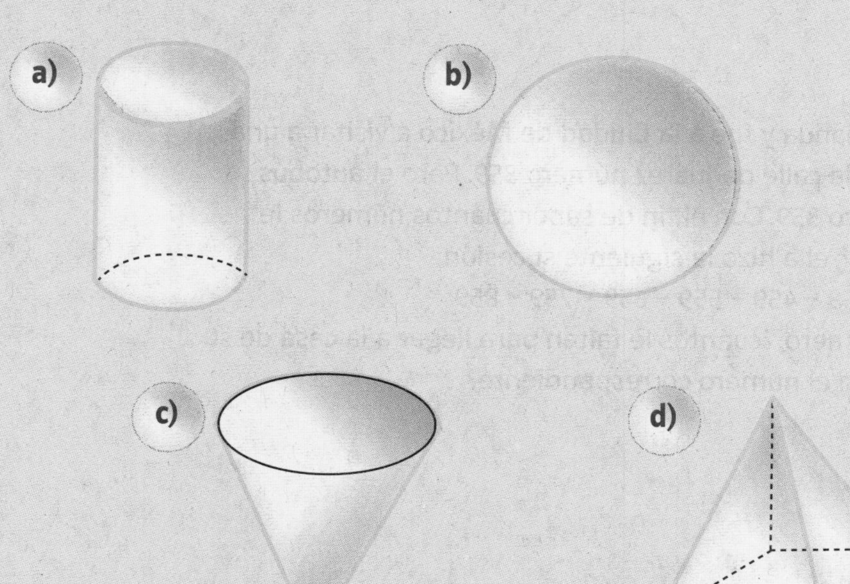

7. La distancia de la Ciudad de México a Guadalajara es de 540 kilómetros. Si el automóvil en el que se va a viajar consume un litro de gasolina por cada 12 kilómetros recorridos, ¿cuántos litros de gasolina se necesitan para realizar el viaje?

a) 12 litros
b) 45 litros
c) 54 litros
d) 60 litros

Autoevaluación

En las casillas correspondientes, marca con una paloma ✓ lo que mejor refleje lo que piensas.

Contenidos procedimentales	Siempre lo hago	Lo hago a veces	Difícilmente lo hago
Resuelvo problemas que implican el uso de fracciones.			
Resuelvo problemas que implican la división con números naturales.			
Comparo números hasta centésimos.			
Calculo mentalmente la diferencia entre un número natural y un múltiplo de 10.			
Identifico cuerpos geométricos al escuchar sus características.			

Contenidos actitudinales	Siempre lo hago	Lo hago a veces	Difícilmente lo hago
Respeto las reglas que se establecen en el grupo.			
Respeto las opiniones de mis compañeros.			
Cuando trabajo en equipo, aprendo de mis compañeros.			
Cuando trabajo en equipo, efectúo mejor las cosas que si las llevo a cabo individualmente.			

Bloque III

Aprendizajes esperados

- **Ubica números naturales en la recta numérica.**
- **Compara fracciones con el mismo denominador o numerador.**
- **Calcula mentalmente productos y cocientes de números naturales y de fracciones.**
- **Describe las características de figuras geométricas.**
- **Resuelve problemas relacionados con el uso del reloj y el calendario.**
- **Anticipa el resultado más frecuente en experimentos aleatorios sencillos.**

23 La recta numérica

Lo que conozco.

En parejas, realicen lo que se indica en cada caso.

❖ En la siguiente recta numérica localiza los números 6 y 12.

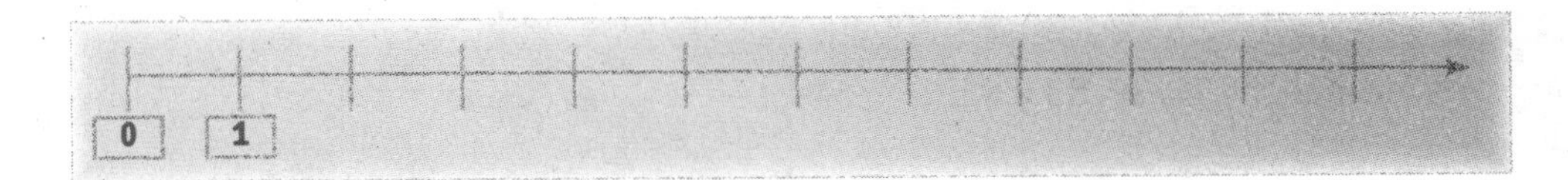

❖ En la siguiente recta númerica localiza los números 9, 15 y 33.

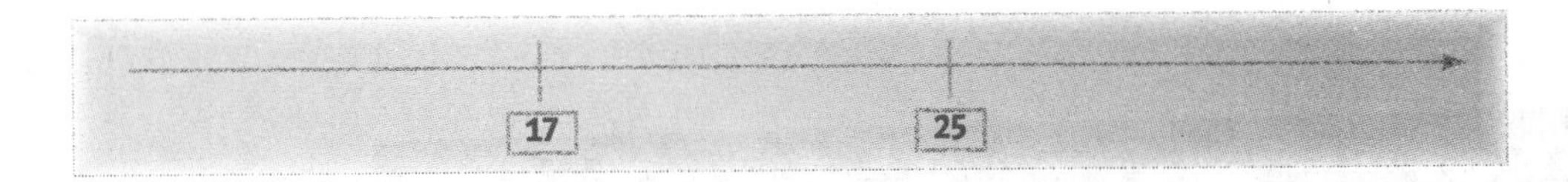

❖ En la siguiente recta númerica localiza los números 175, 250, 315 y 475.

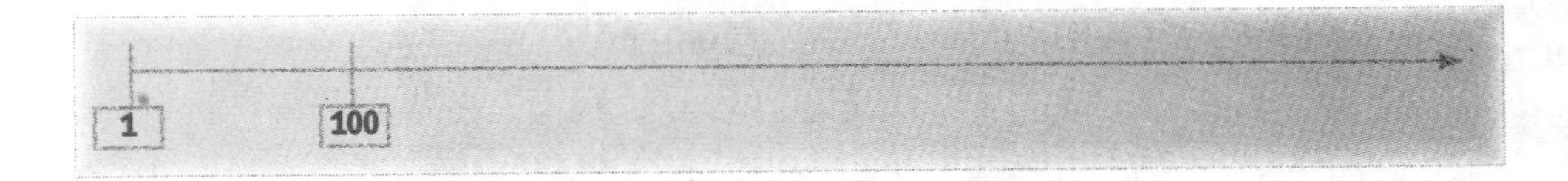

1. Resuelvan en parejas el problema siguiente. Una vez concluido, comparen el resultado con otra pareja. Por último, contesten la pregunta.

En la maderería del señor Efrén hay reglas con diferentes graduaciones. Con el uso, algunos números se han borrado. Escriban los números que falten en cada una de las reglas.

❖ ¿Qué procedimiento siguieron para ubicar correctamente los números que faltaban en las reglas? Escriban su respuesta en su cuaderno.

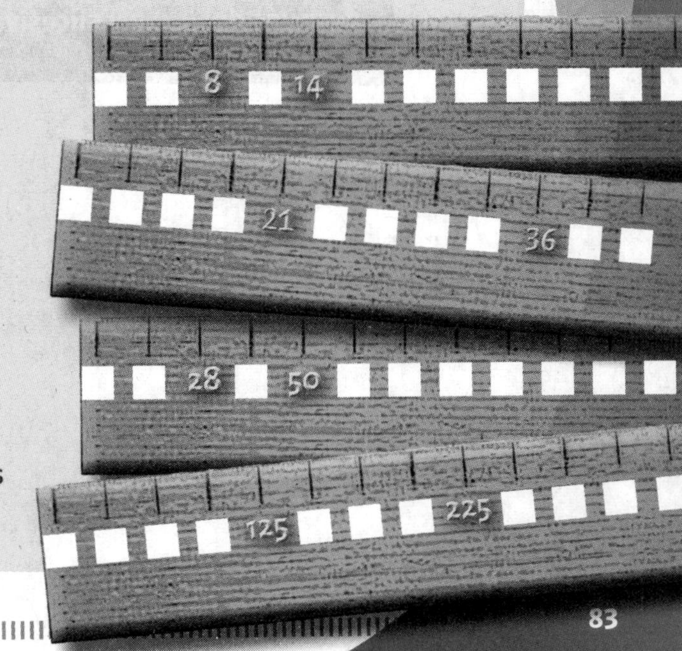

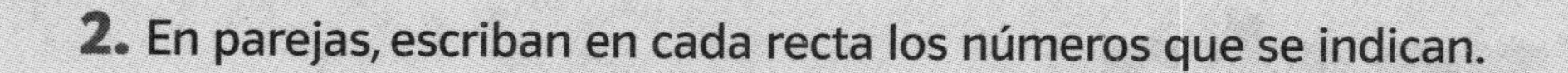

2. En parejas, escriban en cada recta los números que se indican.

- Ubicar 15, 45, 60, 72 y 90.

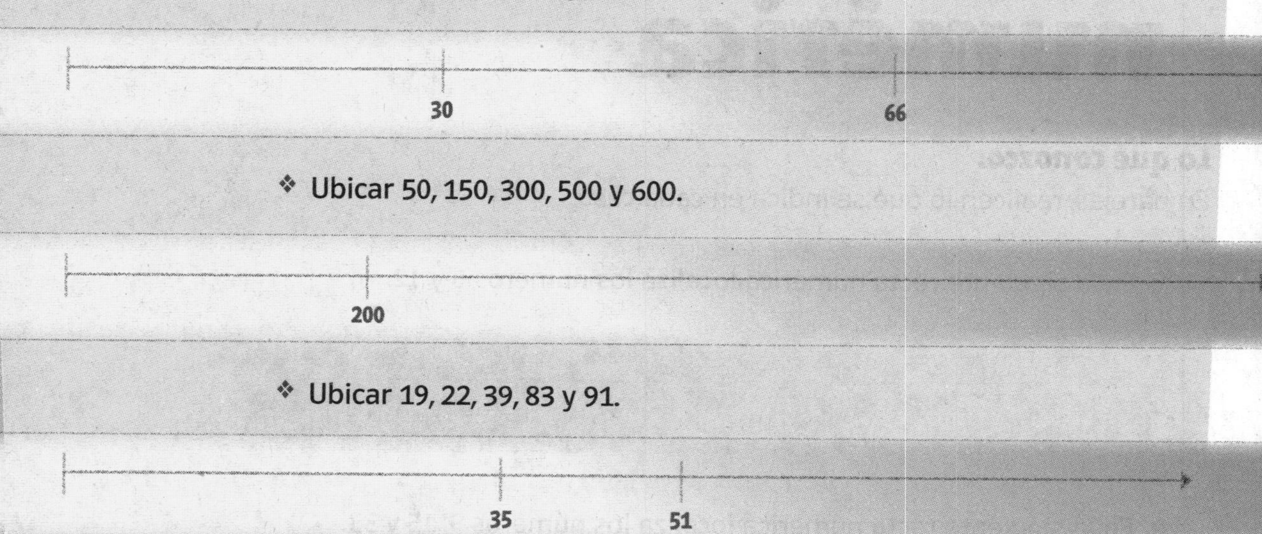

- Ubicar 50, 150, 300, 500 y 600.
- Ubicar 19, 22, 39, 83 y 91.

Cuando se quiere ubicar números en la recta numérica y se conoce la posición de dos de ellos, puede identificarse el número de unidades que existe entre esos dos números y usar esta medida para determinar dónde están los otros. Por ejemplo, entre el 5 y el 9 hay cuatro unidades, la mitad de éstas es 2, y el número ubicado en esa mitad es el 7. Con esa medida también puedes ubicar el 3 antes del 5, el 11 después del 9, y así sucesivamente.

34567891011

Es mayor a $\frac{1}{2}$

Lo que conozco. Subraya en qué caso hay más agua para cada persona distribuida en partes iguales

a) Al repartir un litro entre dos personas.
b) Al repartir dos litros entre tres personas.

Escribe brevemente cómo puedes comprobar que tu respuesta es correcta ______________________________

____

1. Resuelve el problema siguiente.

El maestro de Matemáticas llevó al salón de clase 6 melones de tamaño y peso similares. Acomodó en filas a sus alumnos y a cada una le entregó un melón. En la primera fila sólo había 2 alumnos; en la segunda, 4; en la tercera, 3; en la cuarta, 6; en la quinta, 8 y en la sexta, 5. El profesor pidió que cada melón se repartiera en partes iguales entre los alumnos de cada fila.

- ¿En cuál de las filas los alumnos recibieron una porción mayor de melón? ______________________________
- En una de las filas cada alumno recibió la mitad de un melón. ¿De qué fila se trata? ______________________________
- ¿Qué fracción de un melón le correspondió a los alumnos de la sexta fila? ______________________________
- Roberto afirma que entre más alumnos haya en la fila, menor porción de melón recibirán.
  ¿Estás de acuerdo con él? ______________________________
  ¿Por qué? ______________________________
  ____

Cuando todo el grupo haya terminado, elaboren una conclusión.

____

____

____

____

____

____

2. Reúnete con un compañero para llevar a cabo la siguiente actividad.

- En un material transparente (bolsa, papel cebolla, acetato, mica, etcétera) reproduzcan las figuras que están marcadas con medios, cuartos, octavos y dieciseisavos.

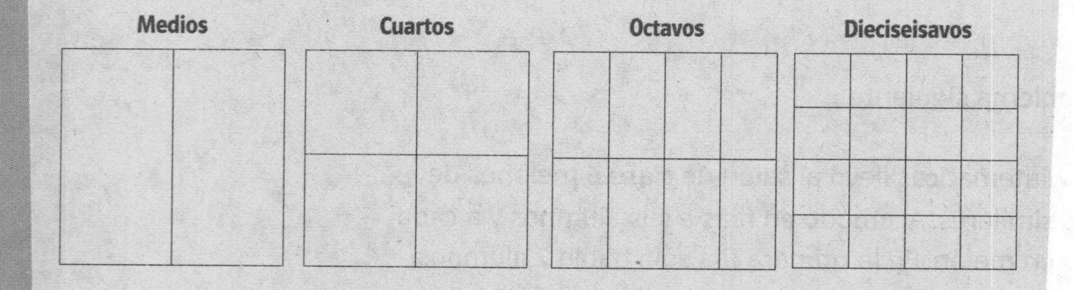

- Recórtenlas y pónganlas sobre las figuras numeradas.

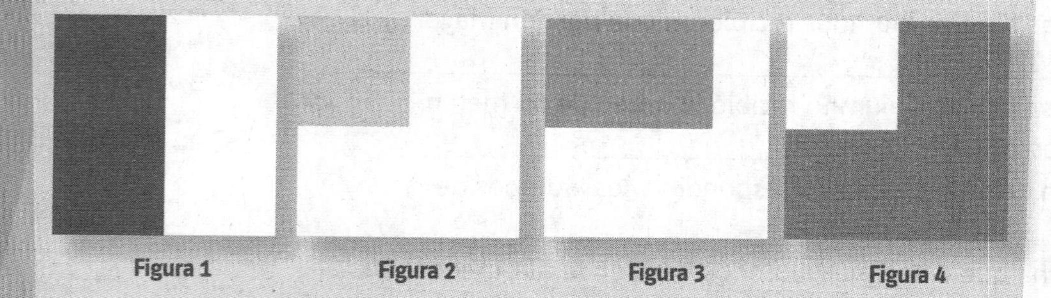

Completen la tabla y contesten las preguntas.

Figura	Fracción coloreada	Fracción equivalente expresada en:		
		Cuartos	Octavos	Dieciseisavos
1	$\frac{1}{2}$	$\frac{2}{4}$	$\frac{4}{8}$	$\frac{8}{16}$
2	$\frac{1}{4}$			
3	$\frac{3}{8}$			
4	$\frac{3}{4}$			

- Con respecto a la figura 1, ¿qué fracciones representaron la misma parte coloreada? ______________________
- ¿De cuántas formas diferentes se representa la fracción $\frac{1}{2}$ en la tabla? ______________________
- Observa la figura dividida en octavos y contesta: ¿cuántos equivalen a un cuarto? ______________________
____
- Si en la tabla se observa que $\frac{3}{8} = \frac{6}{16}$, ¿a cuántos dieciseisavos es igual $\frac{7}{8}$? ______________________
- Expliquen cómo puede saberse que dos fracciones son equivalentes ______________________
____
- ¿Cuántos equivalen a un cuarto? ______________________
- ¿Porqué hay partes sombreadas en la tabla? ______________________

Comparen sus respuestas y con apoyo del maestro elaboren una conclusión general.

Ingresen a la siguiente dirección:
http://www.ite.educacion.es/w3/recursos/primaria/matematicas/fracciones/menuu3.html
En parejas, realicen los ejercicios para poner en práctica lo aprendido en esta lección.

3. Resuelve el problema siguiente.

Mayra, Gloria, Daniela y Rebeca trabajan en distintas empresas y ganan el mismo sueldo. Mayra ahorra $\frac{2}{3}$ de su sueldo; Gloria, $\frac{1}{2}$; Daniela, $\frac{4}{8}$ y Rebeca, $\frac{1}{6}$.

❖ De las cuatro, ¿quiénes ahorran la misma parte de su sueldo?

____

¿Quién ahorra más? ______________________________

❖ Explica cómo puedes saber quiénes ahorran la misma cantidad de su sueldo. ____________________________________

4. Escribe en tarjetas de 5 cm por 3 cm las siguientes fracciones: $\frac{1}{2}$, $\frac{1}{3}$, $\frac{2}{3}$, $\frac{1}{4}$, $\frac{2}{4}$, $\frac{3}{4}$, $\frac{1}{5}$, $\frac{2}{5}$, $\frac{4}{5}$, $\frac{1}{6}$, $\frac{3}{6}$, $\frac{4}{6}$, $\frac{4}{8}$ (una fracción por tarjeta). En parejas, ordenen las fracciones de las tarjetas de manera ascendente.

❖ ¿Cuál es la fracción que se debe colocar en primer lugar?

____

❖ ¿Cuál debe colocarse al final? __________________________

Dos fracciones son equivalentes si representan la misma cantidad.

$$\frac{1}{4} = \frac{2}{8}$$

5. En parejas, escriban fracciones equivalentes en las líneas.

a) $\frac{2}{5}$ = _____ = _____

b) $\frac{\quad}{4}$ = _____ = _____

c) $\frac{2}{3}$ = _____ = _____ = _____ = _____

Dos fracciones son equivalentes cuando tienen el mismo valor, aunque parezcan distintas.

$$\frac{1}{4} = \frac{2}{8}$$

Una forma de obtener fracciones equivalentes es multiplicar el numerador y el denominador de una fracción por el mismo número; así, encontramos una fracción equivalente a la inicial.
Por ejemplo:

$$\frac{3}{5} \overset{\times 2}{=} \frac{6}{10} \overset{\times 2}{=} \frac{12}{20}$$

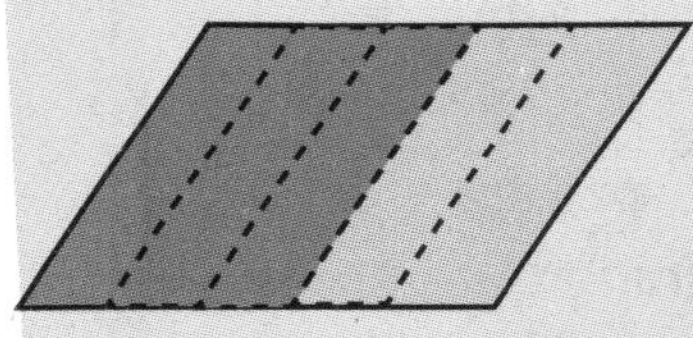

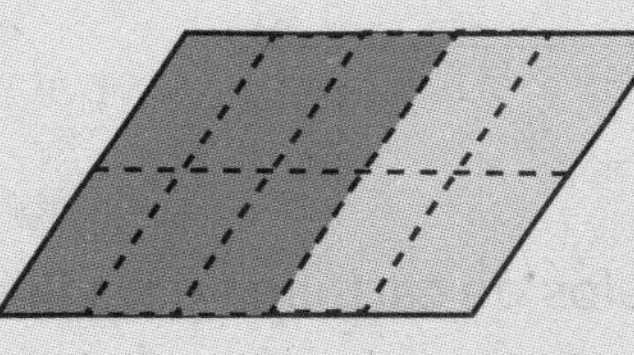

$$\frac{3}{5} = \frac{3 \times 2}{5 \times 2} = \frac{6}{10}$$

$$\frac{3}{5} = \frac{3 \times 4}{5 \times 4} = \frac{12}{20}$$

RETO

¿Cuál es la figura que representa una fracción de área diferente a las demás? ____________________

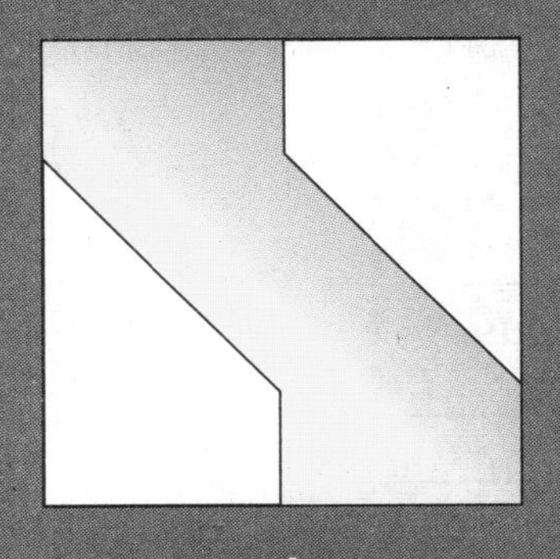

A

B

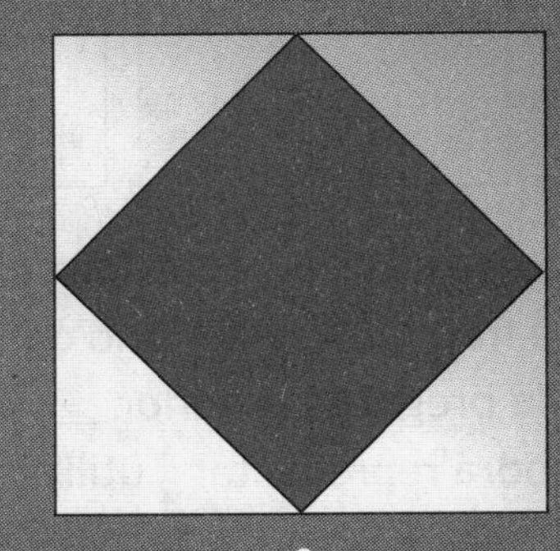

C

25 El doble de una fracción

Lo que conozco. Reúnanse con un compañero y resuelvan el problema siguiente.

El profesor de Matemáticas pidió a sus alumnos que buscaran cartulina de reúso suficiente para que cada uno formara el equivalente a $\frac{1}{2}$ pliego de cartulina. Óscar llevó dos piezas de cartulina de $\frac{1}{4}$ de pliego, Liliana tres de $\frac{1}{6}$, Gabriela cuatro de $\frac{1}{8}$ y Felipe cinco de $\frac{1}{10}$. ¿Cuántas porciones de $\frac{1}{12}$ de pliego de cartulina llevó Jazmín para formar $\frac{1}{2}$ pliego? __________________

1. En parejas, utilicen los siguientes rectángulos de cartulina para ilustrar las fracciones que llevó cada uno de los alumnos del problema anterior. Escriban en cada una de las partes la fracción correspondiente y contesten las preguntas.

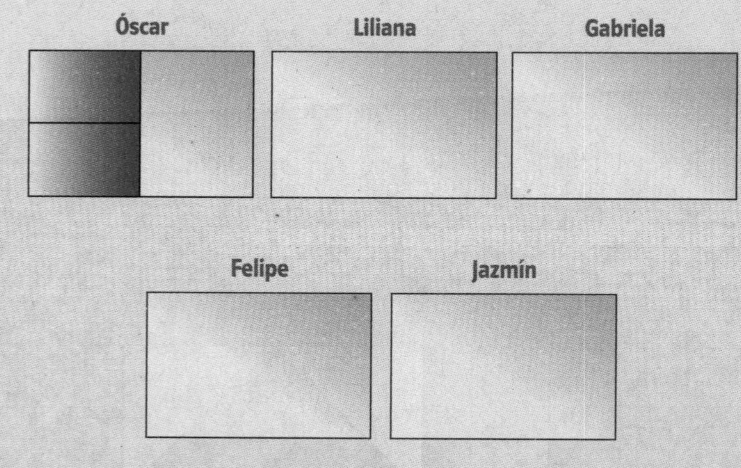

- ¿Cuántas partes de $\frac{1}{6}$ sumadas forman $\frac{1}{2}$ pliego? __________________
- Usando sólo fracciones y el signo de suma, escribe la operación que represente la pregunta anterior. __________________
- ¿Cómo se podrá representar $\frac{1}{2}$ utilizando varias veces $\frac{1}{8}$? __________________

2. En parejas, utilicen 9 hojas usadas para representar 9 rectángulos y en cada uno realicen trazos paralelos a una de las bases de acuerdo con las siguientes indicaciones.

- El primero divídanlo en tercios, el segundo en sextos, el tercero en doceavos, el cuarto en cuartos, el quinto en octavos, el sexto en medios. Escriban en cada parte del rectángulo la fracción correspondiente: $\frac{1}{3}$, $\frac{1}{6}$, $\frac{1}{12}$, etcétera.
- Dividan el séptimo rectángulo en dos partes y coloreen una de éstas de amarillo.
- El octavo rectángulo divídanlo en cuartos, pinten tres de amarillo y el resto, de azul.
- El último rectángulo divídanlo en tercios, pinten dos de amarillo y el resto, de azul.
- Utilicen los primeros siete rectángulos de las fracciones y busquen maneras de formar figuras iguales a las partes coloreadas de amarillo y azul. Registren sus respuestas en la tabla de la derecha.

Fracción	Formas equivalentes			
$\frac{1}{2}$				
$\frac{1}{3}$				
$\frac{3}{4}$				
$\frac{1}{4}$				
$\frac{2}{3}$				

3. Escriban al menos tres formas diferentes de expresar las siguientes fracciones. Observen el ejemplo.

- $\frac{3}{8} = \frac{1}{8} + \frac{1}{8} + \frac{1}{8} = \frac{1}{4} + \frac{1}{8} = \frac{1}{4} + \frac{1}{16} + \frac{1}{16}$
- $\frac{7}{4} =$
- $\frac{5}{12} =$
- $1\frac{1}{2} =$

Una fracción puede expresarse de diferentes maneras, ya sea sumando una misma fracción o diferentes fracciones. Por ejemplo, $\frac{3}{4}$ puede expresarse como $\frac{1}{4} + \frac{1}{4} + \frac{1}{4}$ o $\frac{1}{2} + \frac{1}{4}$ o $\frac{1}{2} + \frac{1}{8} + \frac{1}{8}$, entre muchas otras formas.

4. Completen la tabla siguiente.

Fracción	Mitad	Tercio	Doble	Triple	Cuádruple
$\frac{1}{2}$	$\frac{1}{4}$	$\frac{1}{6}$	$\frac{2}{2}$	$\frac{3}{2}$	
$\frac{1}{3}$		$\frac{1}{9}$			
$\frac{1}{4}$				$\frac{3}{4}$	
$\frac{3}{4}$	$\frac{3}{8}$		$\frac{6}{4}$		
$\frac{1}{5}$					$\frac{4}{5}$

- Observa los denominadores de las fracciones de las columnas "Mitad" y "Tercio", y compáralos con los de la columna "Fracción". ¿Qué relación encuentras? ______________________________
____
- ¿Cómo se determina la mitad o un tercio de cualquier fracción? _____
____
- ¿Cómo se obtiene el doble o el triple de una fracción? ______________
____

Consulta en...

Ingresen a la siguiente dirección: http://www.ite.educacion.es/w3/recursos/primaria/matematicas/fracciones/menuu2.html
En parejas, resuelvan los problemas que se presentan.

5. Resuelvan los problemas siguientes.

- Alberto llevó a su casa $\frac{3}{4}$ de sandía, que quiere repartir en partes iguales entre su esposa, su hija y él. ¿Qué fracción de sandía le correspondió a cada uno de ellos? ______________________
- Isaac es mecánico y le pidió a su ayudante que comprara un tornillo de $\frac{2}{16}$ de pulgada de largo. Cuando su ayudante llegó, Isaac se dio cuenta de que le había dado la medida incorrecta y le pidió que comprara otro que tuviera el triple de largo que el anterior. ¿Cuál es la longitud del segundo tornillo? ______________________

¿Por 2 será el doble?

Lo que conozco. Resuelve los problemas.

- Martín y Ricardo podan diariamente 5 árboles cada uno. Martin trabajó 4 días, mientras que Ricardo laboró el doble de días que Martín. ¿Cuántos árboles podó en total cada uno de ellos?
  ________________ y ________________
- Ricardo dice que podó el doble de árboles que Martín. ¿Es cierta esta afirmación? ____________ ¿Por qué? ______________________
- Para que Martín pode en 4 días el mismo número de árboles que Ricardo poda en 8, ¿cuántos árboles debe podar Martín cada día? ____________

Cada parte de la multiplicación tiene un nombre especial.

A los elementos que se habrán de multiplicar se les llama factores y para distinguirlos agregamos a su nombre la posición en que se encuentran.

Al resultado de la multiplicación se le llama producto.

En el ejemplo 5 × 12 = 60, 5 es el primer factor y 12, el segundo factor. El producto del primer factor por el segundo es 60.

Observa que si cambiamos el orden de los factores, el producto es idéntico:

12 × 5 = 60

1. Efectúa las multiplicaciones y contesta las preguntas.

A	B	C
4 × 7 =	8 × 7 =	4 × 14 =
3 × 12 =	6 × 12 =	3 × 24 =
5 × 9 =	10 × 9 =	5 × 18 =
8 × 15 =	16 × 15 =	8 × 30 =

- Observa el primer factor de las multiplicaciones de las columnas A y B. ¿Qué relación encuentras entre estos factores? ______________________

❖ ¿Cómo es el segundo factor de las multiplicaciones de la columna C respecto al segundo factor de las multiplicaciones de la columna A?

____

❖ ¿Cómo son los resultados de las columnas B y C con respecto a los productos de la columna A? _______________

____

Toma en cuenta la actividad anterior para formular una conclusión en el recuadro de la derecha.

2. Resuelve los problemas siguientes.

❖ Iván y Ángel compraron 7 m de listón para realizar un trabajo y pagaron $4.00 por metro, es decir $28.00 en total. Si tienen que comprar la misma cantidad de metros de otro listón cuyo precio es el doble del que compraron, ¿cuánto tendrán que pagar? _______________

❖ El producto de dos números es 40, ¿cuál será el producto si se triplica cualquiera de los dos factores? _______________

Si uno de los dos factores de una multiplicación se duplica, el producto de la nueva multiplicación será el doble del producto de la multiplicación original.

3. Completa la tabla siguiente.

Factores	Producto	¿Cuál es el producto si uno de los factores es el...?		
		Doble	Triple	Cuádruple
5 × 22		220		
7 × 15	105			420
6 × 6			108	

4. Resuelvan en parejas el problema siguiente.

Andrés pescó 24 mojarras y decidió repartirlas entre sus dos hermanos y su mamá. A cada uno le correspondían 8 mojarras, pero como llegaron de visita sus dos tíos y su primo Felipe, las repartió entre seis personas.

- ¿Con cuántas mojarras se quedó cada quien? ____________________
- ¿Cuánto aumentó el número de personas entre las que terminó dividiendo las mojarras y las que había al principio? __________
- ¿Qué relación encuentras entre el número de mojarras que les correspondería en un principio cuando eran sólo tres personas y el que les correspondió a las seis? ____________

5. Con base en el problema anterior contesta las preguntas siguientes.

- Diego afirma que en la división que hizo Andrés, el dividendo cambió porque al final recibieron menos mojarras cada uno. ¿Es correcta la afirmación de Diego? __________ ¿Por qué? __________
- Juana le preguntó a Andrés qué sucede con el cociente cuando el divisor aumenta el doble. ¿Qué responderías tú? __________
- Juana afirma que si los pescados tuvieran que repartirse entre un número de personas cuatro veces mayor que las que había en un principio, les habría correspondido a cada una sólo una cuarta parte de lo que en realidad recibieron.
  ¿Cuánto es el cuádruplo de 3? ____________________
  ¿Cuánto es la cuarta parte de 8? ____________________

Con estos últimos datos comprueba que lo afirmado por Juana es correcto y explica por qué. ____________________

____

____

____

6. Completa la tabla siguiente. De preferencia realiza los cálculos mentalmente.

División	Cociente	¿Cuál es el cociente si el divisor se cambia por su. . .?		
		mitad	doble	triple
48 entre 4	12	24	6	4
90 entre 5		36		
105 entre 7				5
360 entre 6		120		

7. Dividan el grupo en dos equipos y tomen como base para esta actividad la información de las actividades 4, 5 y 6. Cada equipo ocúpese de alguna de las actividades aquí señaladas. Cuando terminen, expongan su conclusión a la otra mitad y escriban ambas en los recuadros correspondientes.

¿Qué le pasa al cociente de una división si se duplica su dividendo y su divisor no cambia? ______________________________

¿Qué le pasa al cociente de una división si se duplica su divisor y su dividendo no cambia? ______________________________

RETO

Observa la operación siguiente:

$5 \times 20 \div 4 = 25$

Si en lugar del número 5 se coloca su doble y en lugar de 4, su mitad, ¿cuál será el resultado (cociente) de la operación? ______________

Si el dividendo aumenta y no se modifica el divisor, el cociente también aumentará, y si el dividendo no cambia y el divisor aumenta, el cociente disminuye. Por ejemplo:

$24 \div 4 = 6$

$48 \div 4 = 12$

$24 \div 8 = 3$

27

Exprésalo de otra forma

Lo que conozco.

Escribe tres sumas distintas que den como resultado tu edad.

						Edad
____	+	____	+	____	=	____
____	+	____	+	____	=	____
7	+	____	+	____	=	____

Escribe dos multiplicaciones distintas que den como resultado el número mostrado.

____ × ____ = 36
9 × ____ = 36
____ × ____ = 48
12 × ____ = 48

1. En equipos efectúen la actividad siguiente. En doce tarjetas de 4 cm por 2 cm escriban cada una de las siguientes multiplicaciones: 1 × 2, 2 × 2, 2 × 3, 2 × 4, 3 × 1, 3 × 3, 3 × 4, 3 × 5, 4 × 4, 4 × 5, 4 × 6 y 4 × 7. Tengan a la mano las tarjetas y un dado.

- Junten todas las tarjetas, revuélvanlas y colóquenlas boca abajo. Decidan los turnos en los que les corresponderá jugar.
- Volteen una de las tarjetas y lancen el dado.
- En la tabla de la página siguiente registren la operación de la tarjeta, el número obtenido de la tirada y completen la cuarta columna ("Suma de A + B").

- Cada uno de los jugadores debe escribir en su casilla otra operación cuyo resultado sea el mismo que el de la cuarta columna. Recuerda que primero debes efectuar las dos multiplicaciones y después calcular la suma de los productos obtenidos.
- Verifiquen con su calculadora si las operaciones que propuso cada jugador son correctas.
- Ganará el jugador que haya escrito más operaciones correctas después de cinco tiradas.
- Si hubo resultados distintos al usar la calculadora, discutan con la guía de su profesor las razones de estas diferencias y lleguen a una conclusión.

Tirada	Operación de la tarjeta (A)	Número del dado (B)	Suma de A + B	Propuesta del jugador ___ × ___ + ___ × ___
1				
2				
3				
4				
5				

2. En parejas, analicen las operaciones siguientes y tachen las que no expresen la misma cantidad que las otras expresiones del mismo inciso. Recuerden primero realizar las multiplicaciones y después, las sumas.

a) 4 × 4	2 × 4 + 7	3 × 5 + 1	3 × 4 + 2 × 2
b) 12 × 6	3 × 4 + 15 × 4	7 × 5 + 6 × 6 + 1	10 × 7 + 5
c) 17 + 45	20 × 3 + 2	5 + 7 × 8	19 + 3 × 14 +1
d) 3 × 17 + 5 × 20		25 × 4 + 50	9 × 13 + 3 × 10 + 2 × 2

Al concluir el ejercicio verifiquen sus respuestas.

3. En parejas resuelvan los problemas siguientes.

- Escriban dentro de cada uno de los círculos un número del 2 al 8, sin repetir ninguno, de modo que al sumar los resultados de las multiplicaciones de los números, colocados en los círculos del mismo color, el resultado sea igual a 80. Recuerda que primero debes efectuar las multiplicaciones y después sumar los resultados.

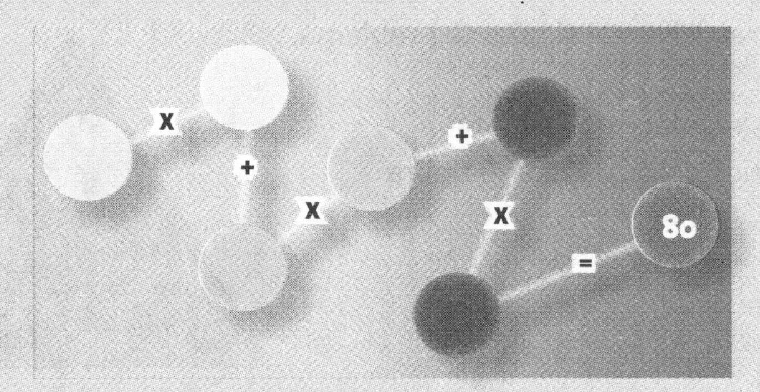

- Observen la siguiente operación. Escriban dentro de cada uno de los círculos un número del 1 al 9, sin repetir ninguno, de modo que al sumar los resultados de las multiplicaciones de los números colocados en los círculos del mismo color obtengan el mismo resultado en ambos lados de la igualdad. Recuerden que primero deben hacer las multiplicaciones y después sumar los resultados.

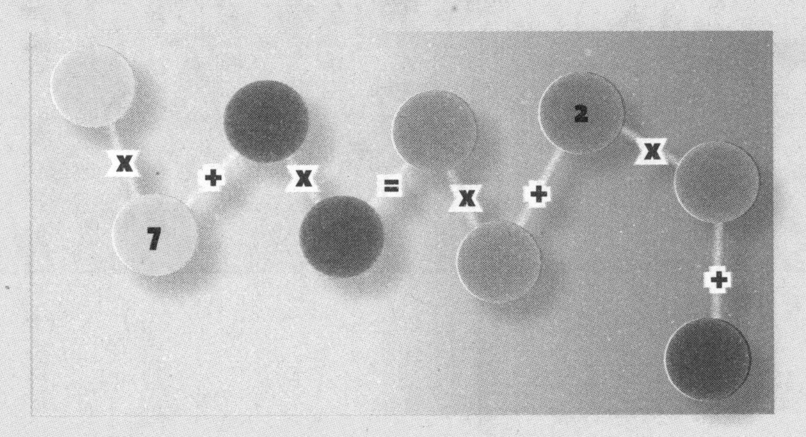

Una cantidad puede expresarse de diferentes maneras: mediante sumas, multiplicaciones o con la combinación de ambas operaciones. En el ejemplo siguiente, las tres expresiones dan como resultado la misma cantidad.

$3 \times 20 = 5 \times 8 + 2 \times 10 = 12 \times 4 + 5 \times 2 + 2$

¿Qué figura es?

Lo que conozco. En equipos, resuelvan el siguiente problema.

Si se colocan seis triángulos equiláteros de manera consecutiva y tienen un vértice en común, ¿qué figura geométrica se forma?

____

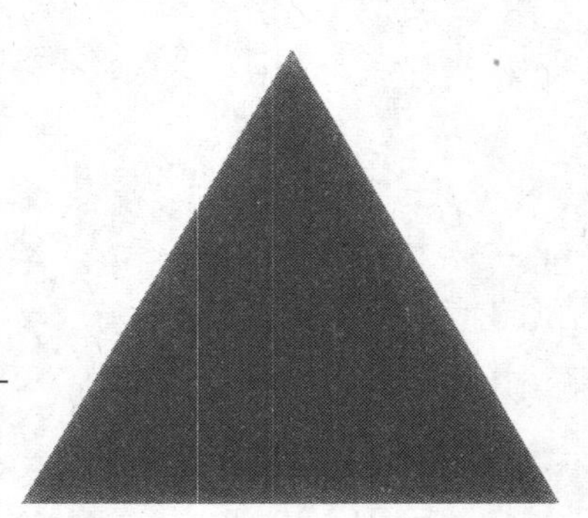

1. Clasifica las siguientes figuras en dos colecciones:

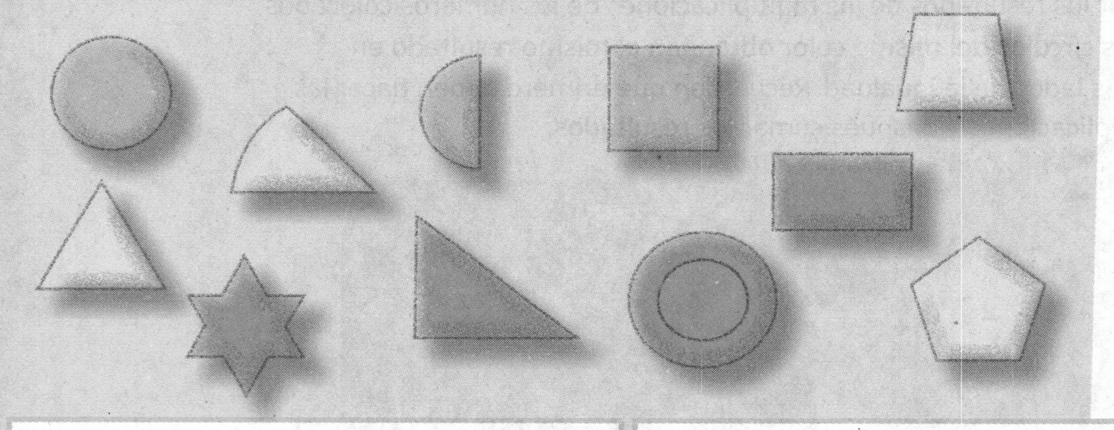

Colección 1	Colección 2

Compara con tus compañeros las colecciones.

2. Describe cuáles fueron las características que elegiste para formar las dos colecciones.

Colección 1: ____

____

Colección 2: ____

____

❖ ¿Cuáles de las figuras anteriores tienen solamente lados rectos?

____

❖ ¿Cuántos ángulos internos tiene cada una de las figuras con lados rectos? ____

Los polígonos son figuras planas con todos sus lados rectos. Tienen tantos ángulos internos como lados.

Si al marcar dos puntos en cualquier lugar del interior de un polígono y unirlos con un segmento no se corta ningún lado, entonces el polígono es convexo; de lo contrario, es cóncavo.

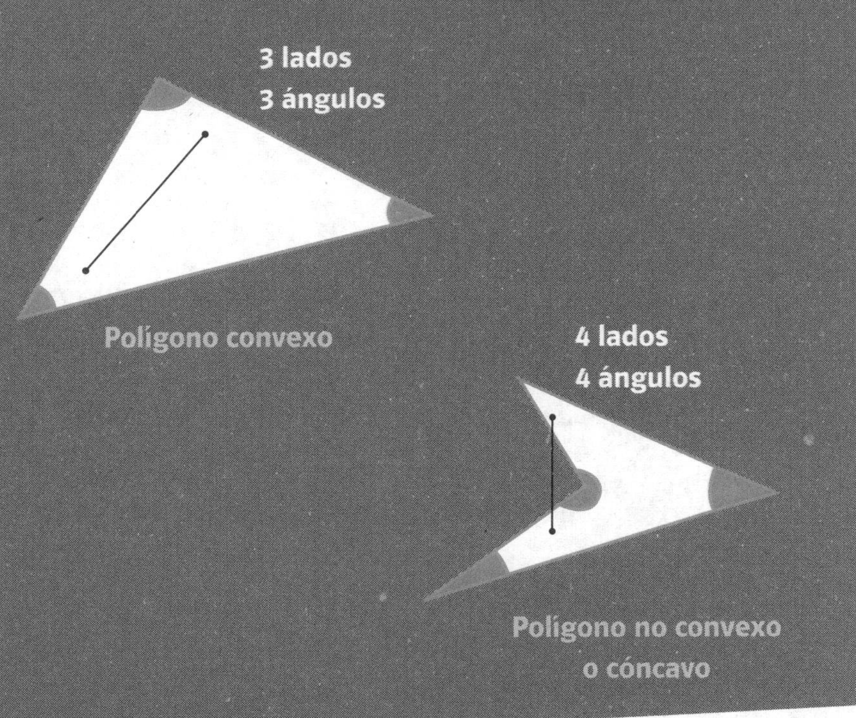

2. En parejas, utilicen las siguientes figuras geométricas para completar la tabla. Al terminar contesten las preguntas.

Figura	¿Nombre de la figura?	¿Número de lados	¿Número de vértices?	¿Todos sus lados son congruentes? (la misma longitud)	¿Todos sus ángulos son iguales?	¿Uno de sus ángulos interiores mide más de 180°?	¿Tiene ángulos rectos?
	Rectángulo						
	Triángulo equilátero						
	Octágono regular						
	Romboide						
	Trapecio						
	Rombo						
	Triángulo rectángulo						
	Cuadrado						
	Pentágono						
	Triángulo isósceles						
	Pentágono regular						
	Hexágono regular						
	Hexágono						
	Triángulo escaleno						
	Trapezoide						

- ¿Cuáles figuras son polígonos regulares?
____
- ¿Cuáles son polígonos convexos? ______________________
- ¿Cuáles son polígonos no convexos? ___________________
- ¿Cuáles tienen ángulos rectos? _______________________
- A las figuras geométricas que tienen cuatro lados se les conoce como cuadriláteros. ¿Cuáles son los nombres de los cuadriláteros registrados en la tabla? _______________________________
- ¿Qué características debe tener una figura geométrica para llamarla triángulo?__________________________________
- ¿Cuáles son los nombres de los triángulos registrados en la tabla?
____

4. Realiza la siguiente actividad.
Encierra con un color las figuras que tienen un ángulo interno mayor que 180° (no convexas).
Encierra con otro color las figuras que tienen todos sus lados congruentes.
Encierra con un tercer color las figuras cuyos ángulos interiores son menores que 180° (convexas).

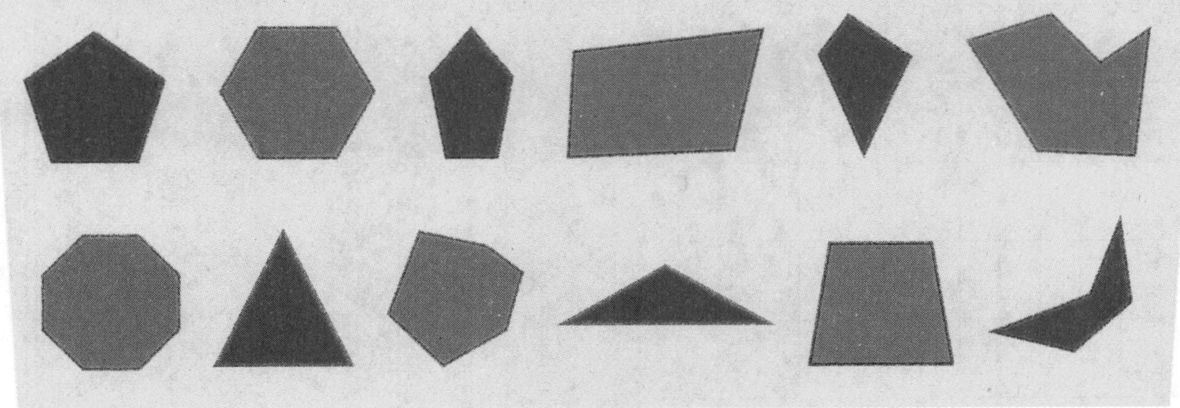

RETO

¿Cuántos cuadrados hay en total en la siguiente figura?________

29

Redes para polígonos

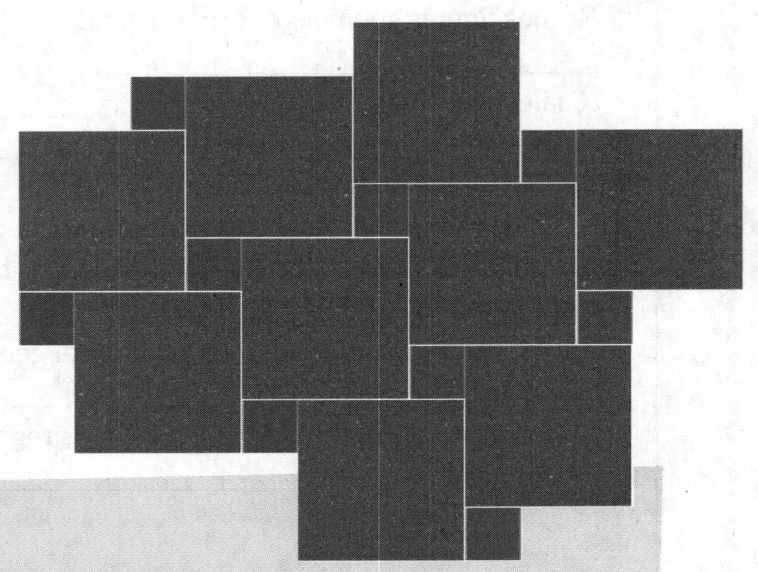

Lo que conozco. Reproduce la imagen de la derecha en tu cuaderno.

1. En equipos, lleven a cabo las actividades.

- Intenten trazar las figuras geométricas en cada una de las redes: cuadrado, rectángulo, trapecio, romboide, rombo, pentágono regular, hexágono regular, octágono regular y dodecágono regular. Tomen en cuenta las características de las figuras, además de que tanto los vértices como los lados de las figuras deben quedar sobre las líneas y puntos de la red.

Red 1

Red 2

❖ Completa la tabla.

Figura	La figura se construyó correctamente en la red número:	
	1	2
Cuadrado		
Rectángulo		
Trapecio		
Romboide		
Rombo		
Pentágono regular		
Hexágono regular		
Octágono regular		
Dodecágono regular		

Contesten las preguntas siguientes.

❖ ¿Qué tipo de figuras se pueden construir en la primera red?

____

❖ ¿Qué tipo de figuras se pueden construir en la segunda red?

____

❖ Completa la tabla. Marca con una paloma cuando corresponda.

Figura	Lados paralelos	Lados perpendiculares	Ángulos rectos (90°)	Ángulos menores que 90°	Ángulos mayores que 90°
Cuadrado	✔	✔	✔		

RETO

¿Qué polígonos regulares se pueden construir con la siguiente figura?

3 m

120°

3 m

3 m

60°

Con apoyo de su profesor ingresen a la siguiente dirección:
http://www.isftic.mepsyd.es/w3/eos/MaterialesEducativos/mem2008/matematicas_primaria/menuppal.html
Seleccionen la opción "Formas y orientación en el espacio" e ingresen a "Diseño mosaicos coloreados".
En parejas, realicen el diseño de un mosaico.

30

El plano de tu escuela

Lo que conozco. Formen equipos. Observen el plano y contesten las siguientes preguntas.

- ¿Cómo se representa dentro del plano el lugar donde va una puerta? ______________________
- ¿Qué representan las figuras 1 y 2? ______________________
____
- El salón de clases tiene ventanas. ¿Cuántas son y cómo están representadas? ______________________
____

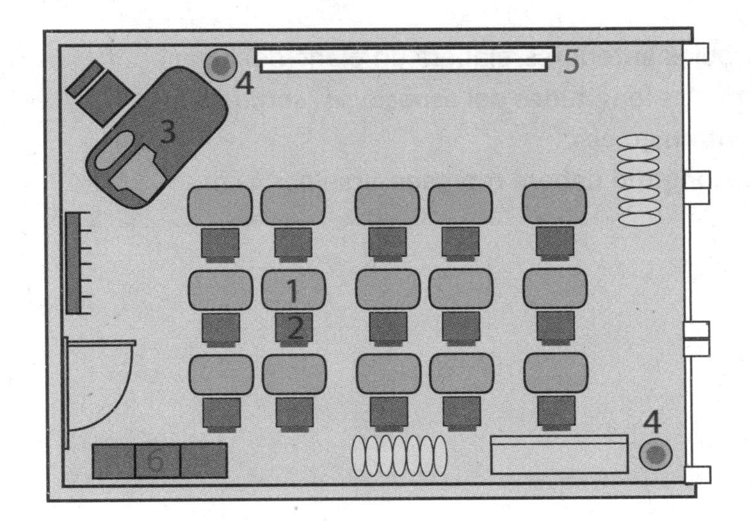

Para construir los edificios y algunas casas o escuelas se elaboran planos. Muchas veces la persona que se encarga de diseñar el plano y la encargada de la construcción, no son la misma. Por eso, quien construye debe saber cómo se leen los planos para ubicar correctamente una barda, una columna, una trabe o los espacios para colocar una ventana, una puerta, etcétera.

1. Relacionen cada símbolo con su significado.

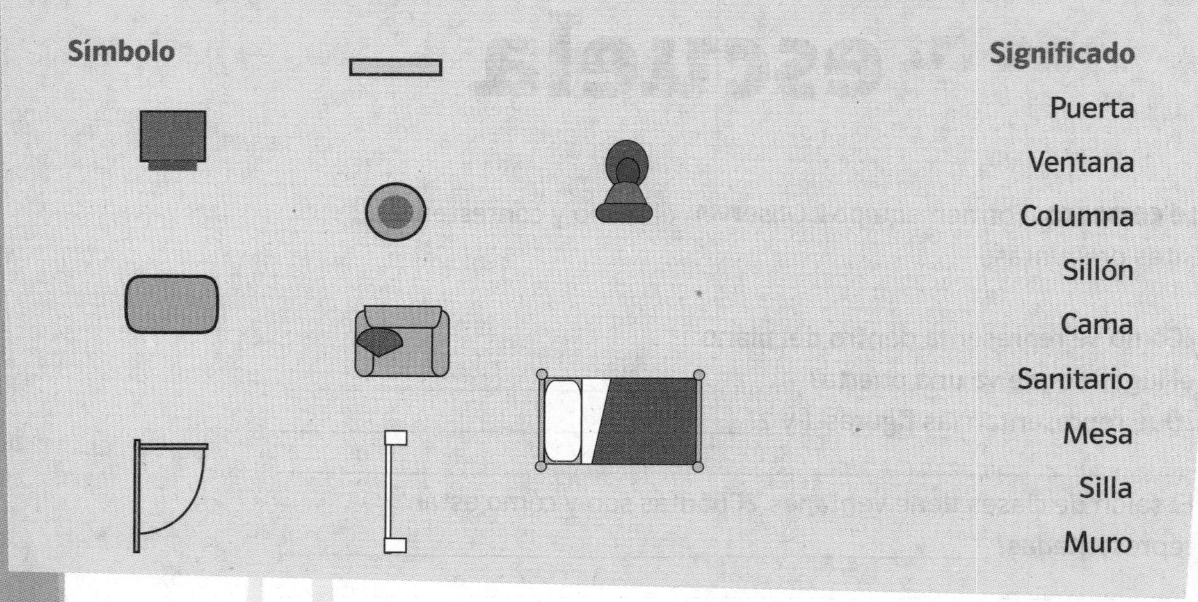

2. Con ayuda de los símbolos anteriores, elabora un plano del lugar donde duermes. Estima las longitudes del espacio, así como de los objetos que se encuentran en él.
Considera que 1 m de longitud deberá representarse por 4 cm.

Un plano es una representación en dos dimensiones (largo y ancho) de un lugar y de sus elementos más característicos como si estuvieran vistos desde arriba.

3. En equipos, organícense para tomar las medidas significativas de su escuela y con esta información elaborar un plano.

- Definan cuál sería la medida adecuada para representar un metro si desean que el plano de su escuela pueda trazarse en media cartulina.
- Decidan cómo representar otros objetos como árboles, canchas o zonas deportivas, auditorios, mesas, sillas, pizarrones, libreros, estantes, etcétera.

Las siguientes preguntas pueden servirles de guía:
¿Cuántas aulas tiene la escuela?
¿Son todas del mismo tamaño?
¿Cuántas ventanas tiene cada salón?

Las siete y sereno

Desayuno

Entrada a la escuela

Lo que conozco.

En los relojes, coloca las manecillas para indicar la hora en la que inicias cada una de las actividades y escribe esa hora con letra sobre la línea.

Hora del recreo

Hora de la clase de Matemáticas

Hora de hacer la tarea

Comida

Salida de la escuela

Hora de dormir

1. En parejas, lean el problema siguiente y contesten las preguntas.

Montserrat entra a la escuela a las 7:00 de la mañana. Acostumbra salir de su casa a las 6:40 y tarda 5 minutos en llegar a la escuela. El jueves no encontró su reloj y le preguntó la hora a su papá, que le contestó: "Faltan 20 para las 7". Ella continuó arreglando sus cosas. Después de un rato su mamá notó que todavía estaba en casa y ya eran 10 para las 7, y le preguntó por qué aún no se había ido a la escuela. Montserrat le respondió: "Estoy esperando que sean las 6:40".

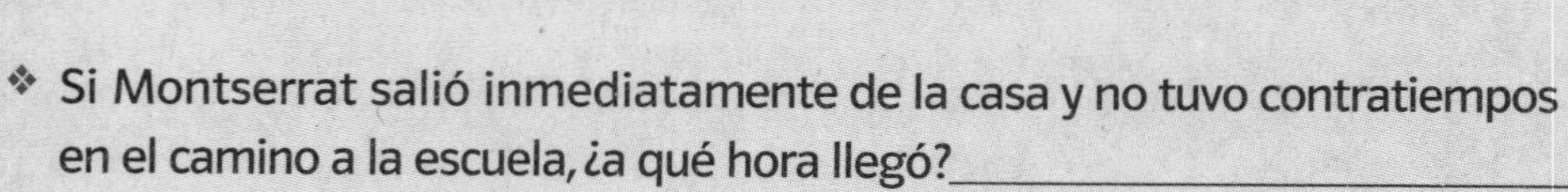

- Si Montserrat salió inmediatamente de la casa y no tuvo contratiempos en el camino a la escuela, ¿a qué hora llegó? ________________________
- Las expresiones "6:40" y "20 para las 7" son dos formas distintas para decir la misma hora. Escribe dos maneras diferentes de escribir la hora que indica el reloj de la derecha. ________________________

- Perla dice que Montserrat siempre llega a la escuela al cuarto para las siete porque llega a las 6:45. ¿A cuántos minutos equivale un cuarto de hora?_________________ ¿Cuál de los tres relojes de la derecha indica las ocho y cuarto? __________
____

- Los días que Montserrat va a clases tarda media hora en llegar de su casa a la escuela. ¿Cuántos minutos equivalen a media hora? ____________
- ¿A qué hora sale de su casa para dirigirse a la escuela? ______________________________

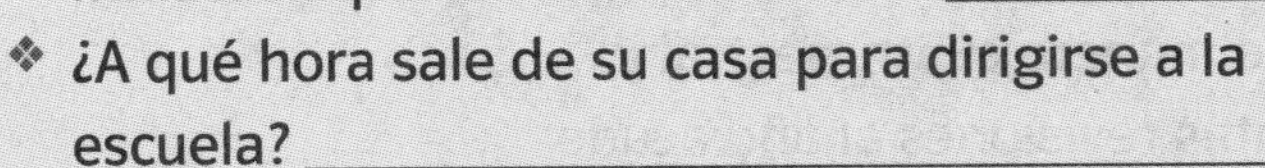

- ¿Cuáles de los cuatro relojes no tienen marcada la hora y media? ________________________

2. Usa un calendario para saber el número de días que tiene cada uno de los meses del año y regístralos en la tabla.

Enero	Febrero	Marzo	Abril	Mayo	Junio
Julio	**Agosto**	**Septiembre**	**Octubre**	**Noviembre**	**Diciembre**

- ¿Cuántos días aproximadamente tienen los meses? __________
- Si hoy es miércoles 21 de febrero, ¿qué fecha será el siguiente miércoles? ______________________________
- Si el carnaval de Veracruz dura una semana y terminó el 14 de marzo, ¿qué día comenzó? ______________________
- Investiga qué meses del año corresponden a cada una de las estaciones y en la tabla de arriba colorea esos meses con un color diferente.

3. En parejas resuelvan los problemas siguientes.

- El recibo de energía eléctrica es bimestral. ¿A cuántos y a cuáles meses corresponde el recibo del tercer bimestre de un año? ________
- Para cualquier reclamo posterior deben juntarse los recibos. ¿Cuántos recibos se podrán juntar en un año? ________
- La tía de Isaac obtiene un bono cada tres meses. El último se lo dieron el 6 de febrero de 2010. ¿En qué meses del año le dieron los siguientes dos bonos? ________
- Ricardo acude a una revisión médica de manera cuatrimestral y Jaime lo hace semestralmente. ¿A cuántas revisiones al año acude cada uno de ellos? ________

RETO

Hace unos momentos pregunté la hora y faltaban 3 minutos para las 8:00 de la mañana. Después de un rato llegó mi hermana y me dijo: "Son las ocho y media de la mañana". ¿Hace cuántos minutos pregunté la hora? ________

Es importante saber leer y comunicar la hora, así como conocer los meses, los días y las estaciones del año.

Un mes puede tener de 28 a 31 días.
Una hora tiene 60 minutos.
Un minuto tiene 60 segundos.

4. Investiga a qué se le llama año bisiesto y por qué febrero puede tener 28 o 29 días. Analicen en grupo la información que encontraron y elaboren una conclusión. ________

Dato interesante

Una forma para recordar cuáles son los meses más largos del año es asociando esos meses a los nudillos de la siguiente manera:

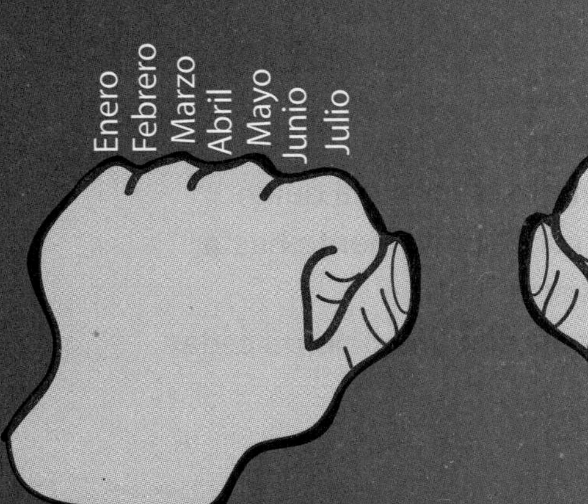

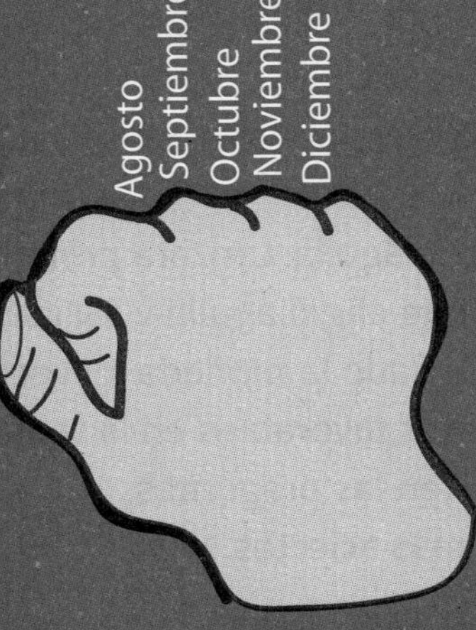

Así, los meses con 31 días y que corresponden a los nudillos son: enero, marzo, mayo, julio, agosto, octubre y diciembre.

Los otros meses tienen 30 días, con excepción de febrero que tiene 28 o 29, si es año bisiesto.

Consulta en...

Con apoyo de su profesor ingresen a la siguiente dirección:
http://www.juntadeandalucia.es/averroes/recursos_informaticos/concurso2005/34/reloj2.html
En parejas, realicen los ejercicios para poner en práctica lo aprendido en la lección.

32

Anticipa quién ganará

Lo que conozco. En parejas, jueguen a los volados.

Cada alumno elija sol o águila. Lanzará primero la moneda quien elija sol; después, el que eligió águila y así consecutivamente hasta que cada uno haya lanzado la moneda 15 veces.
Registren los resultados favorables en la tabla con una paloma cada vez y después contesten las preguntas.
Ganará quien tenga más aciertos.

Águila	
Sol	

- ¿Hubo un ganador? __________ Si volvieran a jugar, ¿es seguro que el mismo alumno sea otra vez el ganador? ______________
  ¿Por qué? ____
- ¿Puedes asegurar si la moneda caerá águila o sol en un próximo lanzamiento? ____
- Si la moneda ha caído tres veces seguidas sol, ¿caerá también sol en el siguiente lanzamiento? __
  ¿Por qué? ____
- Cuando se juega a los volados, ¿gana el alumno con más fuerza? _________ ¿Por qué? ____________________________________

En un experimento de azar, como lanzar un dado al aire, no es posible determinar con precisión qué número caerá.

1. En parejas, lancen un dado 50 veces.

- Registren en la segunda columna con una marca cada ocasión que aparezca una de las seis caras (que corresponden a números del 1 al 6).
- Al concluir los 50 lanzamientos, determinen el total de veces que salió cada número y anótenlo en la tercera columna.
- En la cuarta columna escriban la siguiente fracción

$$\frac{\text{Total de veces que cayó la cara}}{\text{Total de lanzamientos del dado}}$$

para cada una de las caras del dado. Observen que como se realizaron 50 lanzamientos en todas las fracciones el denominador será 50.

Número de cara	Registro	Total de veces que cayó la cara	$\frac{\text{Total de veces que cayó la cara}}{\text{Total de lanzamientos del dado}}$
1			
2			
3			
4			
5			
6			

Después de que el maestro reproduzca en el pizarrón la siguiente tabla, cada equipo registrará los resultados obtenidos de la actividad anterior. Copien los datos de la tabla, complétenla y contesten las preguntas.

Número de cara	Equipo														Total
	1	2	3	4	5	6	7	9	10	11	12	13	14	15	
1															
2															
3															
4															
5															
6															

- ¿Cuáles números se parecen más entre ellos: los números o los totales que cayó cada cara? ______________________
- Si tuvieras que escoger un número del dado, ¿cuál elegirías? ____ ¿Por qué? ______________________
- ¿Qué número del dado cayó más veces? ______________________
- Del total de tiradas registradas en la tabla, ¿qué fracción representa el número de veces que cayó el 3? ______________________
- Del total de lanzamientos registrados en la tabla, ¿qué fracción representa el número de veces que cayó el 6? ______________________
- Del total de lanzamientos registrados en la tabla, ¿qué semejanzas observas entre el número de veces que aparece cada cara del dado? ______________________

Elaboren una conclusión sobre la relación del número de veces que aparece cada una de las caras del dado.

Integro lo aprendido

Ahora aplicarás los conocimientos construidos en el bloque.
Resuelve los siguientes ejercicios.

A continuación se muestra el plano de la escuela Mariano Matamoros. Obsérvalo y, según sea el caso, contesta las preguntas o realiza lo que se pide.

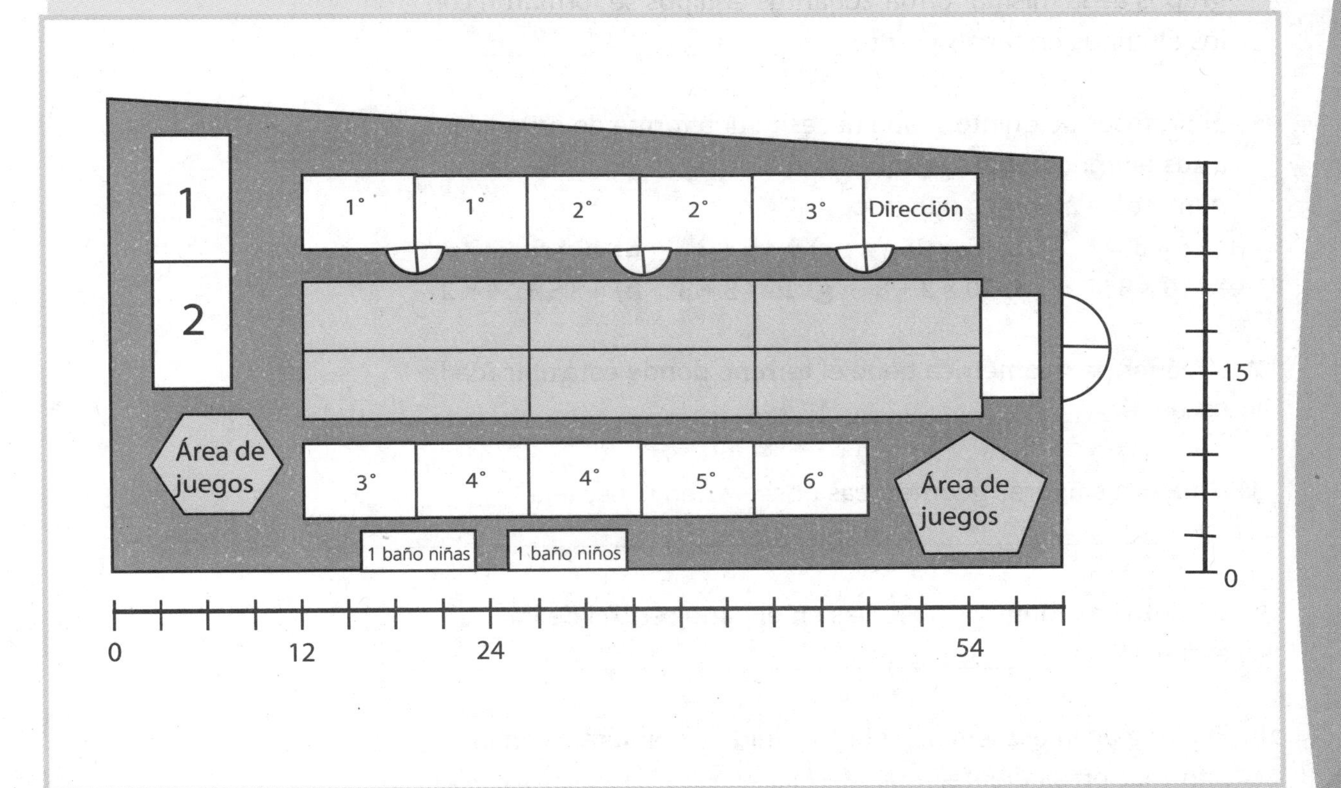

1. **Completa la numeración de las escalas mostradas.**

2. **¿Qué fracción del total de aulas representan las de tercer grado?** ______________________
   Y ¿qué fracciones del total de aulas representan las de quinto y sexto grados? ______________________

3. **Si cada grupo tiene 48 alumnos, ¿cuántos alumnos asisten a esta escuela en ambos turnos?** ______________________

4. Subraya las fracciones equivalentes a la que representan las aulas que están a la derecha de los sanitarios de los niños, con respecto al total.

a) $\frac{10}{13}$ b) $\frac{13}{26}$ c) $\frac{15}{39}$

5. La maestra de sexto grado organizó su grupo en equipos de 8 alumnos para ir al bosque. Al director le pareció buena idea y le pidió a los maestros de tercer grado que organizaran a sus grupos de la misma forma. ¿Cuántos equipos se formaron con los alumnos en tercer grado? ____________________

6. El profesor de quinto grado necesita una forma de organizar a sus alumnos. Subraya aquellas que no sean equivalentes al número de alumnos del grupo.

a) 6 × 8 b) 12 × 16 c) 9 × 5 + 3 d) 10 × 5
e) 16 × 3 f) 20 × 2 + 8 g) 15 × 3 + 3 h) 4 × 5 + 14 × 2

7. ¿Qué forma geométrica tiene el terreno donde está ubicada la escuela? ____________________

8. ¿Qué otras figuras geométricas observas en la escuela? ____________________
____

9. ¿Cuántos rectángulos observas en el patio central de la escuela? ____________________

10. El plano de la escuela no está concluido; complétalo con la información siguiente.

❖ Las puertas de los salones que están entre las áreas de juegos abren hacia adentro y solamente tienen una ventana. ¿Habrá coincidencia de la ubicación de la puerta y la ventana en todos tus compañeros? ____________________
¿Por qué? ____________________

Evaluación

A continuación resolverás problemas en los que aplicarás los conocimientos aprendidos en el bloque.

Instrucciones. Encierra la letra que corresponda a la respuesta correcta.

1. En la siguiente recta numérica hay algunos números que faltan.

¿Cuáles son esos números?

a) 35, 44, 62, 74
b) 36, 45, 63, 75
c) 37, 46, 64, 76
d) 38, 47, 65, 77

2. Sofía emplea en su peinado listones de distintos colores y tamaños. Recortó algunos que tenían la misma longitud y quedaron de las siguientes medidas.

¿Cuál de los listones es el más grande?

a) Verde
b) Amarillo
c) Azul
d) Azul y amarillo porque son iguales

¿Qué fracción representa la mitad del listón azul de la imagen?

a) $\frac{1}{2}$
b) $\frac{1}{4}$
c) $\frac{2}{4}$
d) $\frac{3}{8}$

¿Qué fracción representa el triple del listón amarillo de la imagen?

a) $\frac{15}{7}$
b) $\frac{15}{21}$
c) $\frac{5}{21}$
d) $\frac{10}{7}$

3. ¿Cuál de los siguientes cuadriláteros no tiene lados paralelos?

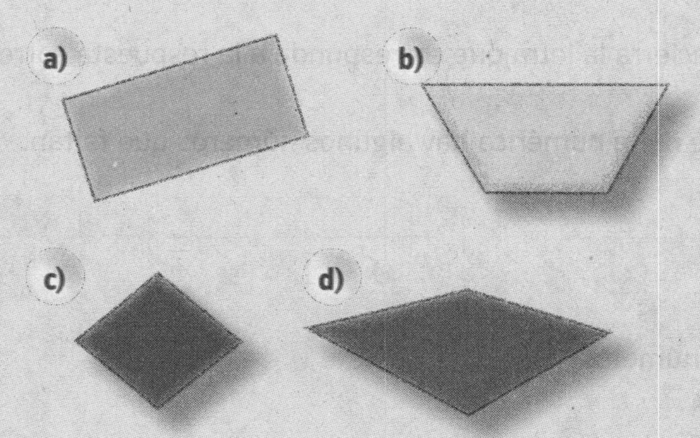

4. El reloj marca la hora en que se levanta Imelda para ir a la escuela. ¿Qué hora es?

a) 9 y media
b) 9 con 6 minutos
c) 6 con 9 minutos
d) 15 minutos para las 6

5. Al lanzar por separado una moneda y un dado, ¿qué es más probable que caiga?

a) Sol en la moneda
b) 4 en el dado
c) La cara con el número 2 en el dado
d) El 5 o el 6 en el dado

Autoevaluación

En las casillas correspondientes, marca con una paloma ✓ lo que mejor refleje lo que piensas.

Contenidos procedimentales	Siempre lo hago	Lo hago a veces	Difícilmente lo hago
Resuelvo problemas que involucran el uso del tiempo.			
Calculo mentalmente productos de números naturales.			
Comparo acertadamente fracciones de uso común.			
Anticipo el resultado más frecuente en experimentos aleatorios sencillos.			

Contenidos actitudinales	Siempre lo hago	Lo hago a veces	Difícilmente lo hago
Respeto las reglas que se establecen en el grupo.			
Participo activamente en las actividades que se desarrollan en el grupo.			
Cuando trabajo en equipo, aprendo de mis compañeros.			
Cuando trabajo en equipo, efectúo mejor las cosas que si las llevo a cabo individualmente.			

Bloque IV

Aprendizajes esperados

- **Compara y ordena números naturales a partir de sus nombres o de su escritura con cifras.**
- **Resuelve problemas donde aplica fracciones a cantidades enteras o determina qué fracción es una parte dada de una cantidad.**
- **Utiliza el algoritmo convencional de la multiplicación de números naturales.**
- **Resuelve problemas donde suma o resta números decimales con dos cifras.**
- **Valora la ocurrencia de los resultados de experimentos aleatorios sencillos, utilizando las expresiones "más probable que...", "menos probable que...".**
- **Resuelve problemas que implican identificar la moda en un conjunto de datos.**

Números naturales
Relaciona el nombre de los números con su escritura en cifras.
Compara y ordena números naturales a partir de sus nombres o de su escritura con cifras, utilizando los signos correspondientes: > y <.

33 ¿Cuatro mil cuatrocientos cuarenta y qué?

Lo que conozco. Observa las tarjetas. Con las de un mismo color forma un número de cuatro cifras que sea mayor que 5 498. Forma tres números, uno con cada color.

- ¿Cuáles fueron los tres números? ________
  ____
- Ordena los números anteriores del mayor al menor. ________________________

1. Formen seis equipos. Dos usarán las tarjetas azules, dos las amarillas y dos las verdes. Formen con ellas cantidades diferentes y regístrenlas en la tabla.

Cantidad en...		Cantidad de... que la forman	
Letra	Número	Palabras	Cifras

Cada equipo escribirá su información en el pizarrón.

2. En parejas, utilicen la información anterior y contesten las preguntas.

- ¿Cuál es el número mayor que se formó? ______________________
- ¿Con cuántas palabras se escribe y cuántas cifras tiene? ____________
  ____
- ¿Con cuántas palabras se escribe el número menor que se formó y cuántas cifras tiene? ______________________
- ¿Cuántas cifras tiene el número "tres mil quinientos treinta y seis"? ______
- Al comparar dos números con el mismo número de cifras, ¿cómo se determina cuál es mayor? ______________________
  ____

Verifiquen sus respuestas de manera grupal. Si encuentran errores, analicen nuevamente la tabla y corríjanlos.

En parejas, escriban una de las formas para determinar si un número es mayor o menor que otro.

3. Escribe dentro del recuadro el signo > (mayor que) o < (menor que), según corresponda.

4 567		947	901		10 001
4 390		4 930	5 099		5 100
4 001		40 001	21 212		12 121
3 991		1 993	9 999		9 991
7 008		8 002			

Al comparar dos números que tienen distinta cantidad de cifras, el número mayor será el que está formado por la mayor cantidad de cifras.

Cuando tienen el mismo número de cifras sólo podrá determinarse cuál es mayor si se comparan las cifras que se encuentran en la misma posición comenzando de izquierda a derecha. Si la primera cifra es distinta en los dos números, aquél cuya primera cifra sea mayor será el mayor de los dos. Si la primera cifra en los dos números es igual, se comparan las segundas cifras. El número cuya segunda cifra sea mayor será el mayor y así sucesivamente.

Reto

Lee los siguientes enunciados y escribe en el recuadro los signos > o <, según corresponda.

Guadalupe tiene en una jarra 3 125 mililitros de agua.		Rosa tiene tres mil doscientos mililitros de leche.
En una bolsa hay cuatro mil ochenta fichas.		En una bolsa hay dos paquetes, uno con 2 008 fichas y otro con 1 992.
Daniel gana dos mil cincuenta pesos al mes.		Juan gana 1 050 pesos a la quincena.

34 La sexta parte de...

Lo que conozco. Resuelve el problema siguiente.

En una granja de Tabasco hay 24 animales, de los cuales la mitad son vacas, la tercera parte cerdos y el resto gallinas.

- Si en lugar de 24 animales hubiera 180, ¿cuántas vacas habría en la granja, si la proporción de vacas, cerdos y gallinas fuese la misma que antes? ________________
- Explica cómo obtuviste el número de vacas. __________
____
____
____

1. En parejas, resuelvan el problema.

En una carpintería se fabrican sillas de madera que se pintan de diferentes colores. De la producción de un día se pintan $\frac{1}{8}$ de color azul, $\frac{3}{8}$ de amarillo, $\frac{2}{8}$ de rojo y $\frac{1}{4}$ de blanco. La producción diaria de sillas y la cantidad que se pinta de cada color se planean de manera semanal. Completen la tabla para saber cuál es el número de sillas que deben pintarse de cada color.

Día	Producción diaria	Azul $\frac{1}{8}$	Amarillo $\frac{3}{8}$	Rojo $\frac{2}{8}$	Blanco $\frac{1}{4}$
Lunes	48				
Martes	56				
Miércoles	80				
Jueves	120				
Viernes	104				
Sábado	32				

Revisen con otras parejas sus resultados. Observen si éstos son distintos. En caso de que hayan cometido errores, corríjanlos.

Describan cómo se determina una fracción de una cantidad entera. ____
____
____
____
____
____
____

2. Resuelve cada uno de los problemas siguientes.

- Carmen afirma que para saber cuánto es $\frac{3}{7}$ de 47, se debe multiplicar 3 por 47 y el resultado se divide entre 7; por otra parte, Juana dice que debe dividirse 47 entre 7 y multiplicar el cociente por 3. ¿Cuál de los dos procedimientos es el correcto, el de Carmen o el de Juana? Explica por qué. ______________
____
- Daniel gana 780 pesos semanalmente. Si ocupa $\frac{2}{5}$ de su sueldo en alimentos, ¿cuánto dinero gasta? ______________
- El piso de una habitación está cubierto con 45 losetas. Si $\frac{5}{12}$ son blancas y el resto negras, ¿cuántas losetas negras cubren el piso de la habitación? ______________________________

❖ ¿Cuántos son $\frac{5}{12}$ del número que se obtiene al hacer las siguientes operaciones: $6 \times 8 + 4 \times 100 + 32$? Recuerda que primero debes efectuar las multiplicaciones y después, sumar los productos. ______

Un procedimiento para obtener una fracción de una cantidad de elementos consiste en multiplicar la cantidad por el numerador y dividir el resultado entre el denominador de la fracción.

3. En parejas, resuelvan el problema siguiente.

Roberto depositó en una caja 20 tarjetas: 5 rojas, 4 azules, 2 amarillas, 6 verdes y 3 blancas. ¿Qué fracción del total representa una sola tarjeta?

Con la información completen la siguiente tabla.

Total de tarjetas	Una tarjeta del total es	¿Qué fracción del total son las tarjetas...?				
		Rojas	Azules	Amarillas	Verdes	Blancas
20						

Comparen sus respuestas con otra pareja. Si hay diferencias determinen la causa.

Contesten las preguntas.

❖ ¿De qué otra manera se puede expresar la fracción del total que representan las tarjetas rojas? ______

❖ Roberto dice que las tarjetas azules representan $\frac{1}{5}$ del total. ¿Por qué su afirmación es correcta? ______

______

❖ Las tarjetas amarillas representan $\frac{1}{10}$ del total. ¿Qué fracción del total representan las verdes? ______

❖ Expliquen por qué $\frac{2}{20}$ es equivalente a $\frac{1}{10}$. ______

______

______

4. En cada uno de los siguientes casos obtengan la fracción del total que representa la cantidad indicada.

- 3 pantalones de un total de 12 prendas de vestir: ______________
- 5 gallinas de un total de 30 animales: ______________________
- 25 pesos de un total de 200: ___________________________
- 15 muñecos de un total de 600: _________________________

Para obtener la fracción que representa una determinada cantidad de un total de elementos se puede proceder del siguiente modo: la cantidad será el numerador de la fracción y el total el denominador. Después, se puede buscar si existe una fracción equivalente.

RETO

En el siguiente tablero pueden distinguirse losetas amarillas y anaranjadas. Cada una tiene un número del 1 al 5. Las losetas anaranjadas forman figuras geométricas. ¿Qué fracción del total representan las losetas marcadas con el número 5 que se encuentran en los cuadrados formados con las losetas de color naranja? ________

2	1	2	3	4	5	4	4	5	2	1	2	3	2	5
2	4	3	1	1	2	1	2	3	1	2	5	4	4	3
4	5	4	5	5	5	3	2	5	3	3	2	2	1	2
2	1	3	4	1	3	1	3	1	4	5	3	4	5	1

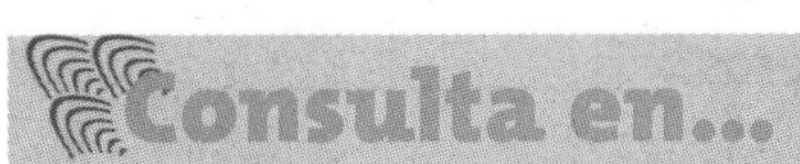

http://www.ite.educacion.es/w3/recursos/primaria/matematicas/fracciones/menuu1.html
Realiza los ejercicios que se proponen para practicar lo aprendido en esta lección.

35 Componer números

Lo que conozco.
En parejas, escriban dentro de los círculos el mismo número, de modo que al sumar ambos productos el resultado sea 455.

1. Ahora resuelvan los problemas siguientes.

- ¿Qué número multiplicado por 13 da como resultado 455? ____________________
- Si en una caja se guardan 48 estuches, ¿cuántos estuches hay en 21 cajas? ________
- Francisco compró 57 redes con 25 pelotas cada una. ¿Cuántas pelotas tiene en total Francisco? ____
- Una bolsa contiene 125 gramos de gelatina en polvo. ¿Qué cantidad se tendrá si se junta el contenido de 26 bolsas? ____________________________________
- ¿Cuál es el resultado de multiplicar 35 × 32? ____________________________

2. Realiza las siguientes operaciones y después contesta las preguntas.

a)	36 × 25 = __________	18 × 50 = __________	9 × 100 = __________
b)	48 × 39 = __________	24 × 78 = __________	12 × 156 = __________
c)	125 × 16 = __________	250 × 8 = __________	
d)	312 × 24 = __________	624 × 12 = __________	

- El primer factor en cada una de las tres multiplicaciones del inciso a) es 36, 18 y 9, respectivamente. ¿Qué relación observas entre estos números? ________________
____
- El segundo factor de las multiplicaciones del inciso a) es 25, 50 y 100, respectivamente. ¿Qué relación observas entre estos números? ________________
____
- Para el inciso b), ¿cuáles serían las dos multiplicaciones que seguirían después de la tercera, de manera que se conserve la relación entre los factores?
____________________ y ____________________

- Analiza la relación entre los primeros factores del inciso c) y después la relación entre los segundos factores. De acuerdo con este patrón, ¿cuáles serían las siguientes tres multiplicaciones después de 250 × 8?
  ________________, ________________, y ________________
- Analiza la relación entre 160 × 60 y 80 × 120. De acuerdo con el patrón que muestran, ¿cuáles serían las siguientes tres multiplicaciones?
  ________________, ________________ y ________________
- ¿Cuál de los cuatro incisos de multiplicaciones piensas que puede resolverse más fácilmente sin usar calculadora? ________________
- Escribe un procedimiento para construir multiplicaciones en las que el producto sea el mismo y los factores aumenten o disminuyan. ________
  ____
  ____
  ____

Cuando en una multiplicación se duplica uno de los factores y el otro se divide entre dos, el producto no se altera. Por ejemplo, si queremos obtener el resultado de 12 × 8, podemos multiplicar 24 × 4 o 48 × 2.

3. Resuelve los problemas siguientes.

- Lucía compró 56 cajas con 16 paquetes de galletas en cada una. ¿Cuántos paquetes de galletas hay en total en las 56 cajas? ____________
- En el mercado, el par de calcetines cuesta 27 pesos. Si Jesús compró una docena, ¿cuánto tuvo que pagar por los calcetines? ____________
- Para reforestar un parque se plantaron 42 hileras de 15 árboles en cada una. ¿Cuántos árboles se plantaron en total? ________________

RETO

Averigua si el procedimiento descrito anteriormente se puede aplicar a 20 × 12 × 18 o si hay alguna variante. Describe un procedimiento para efectuar este tipo de multiplicaciones.

____
____
____
____
____
____

La compra en el supermercado

Lo que conozco. Un litro de leche cuesta $12.00. Si se compran 4 litros y $\frac{3}{4}$, ¿cuánto se paga? ____

1. En equipos, resuelvan el problema siguiente.

Los listados muestran las compras que hicieron Reyna y Rosa. Si ambas pagaron con un billete de $50, ¿a quién le sobró más dinero? ____

En el siguiente espacio describan cómo solucionaron el problema. Después indaguen con otros equipos si hay alguna diferencia en el procedimiento que siguieron.

Abarrotes "La Imperial"
R.F.C. ABAIM98763AER
Calle Cienfuegos no. 123
Mazatlán, Sinaloa.

CANT.	CONCEPTO	PRECIO
1	Jabón/baño	$ 8.75
1	Jabón/polvo	$ 9.20
1	Galletas/6	$ 4.42
	Jugo 1 L.	$ 13.64
	TOTAL $	

Abarrotes "La Imperial"
R.F.C. ABAIM98763AER
Calle Cienfuegos no. 123
Mazatlán, Sinaloa.

CANT.	CONCEPTO	PRECIO
1	Galletas/sal	$ 3.85
1	Jugo 250 mL	$ 4.68
1	Jugo 500 mL	$ 8.40
1	Jugo 250 mL	$ 4.68
1	Guayabas 1 kg	$ 5.40
1	Plátanos 1/2 kg	$ 3.72
	TOTAL $	

Reina

Rosa

2. En parejas, utilicen la información de las notas de compra y resuelvan los problemas siguientes.

- ¿Cuánto pagarán si compran 3 paquetes de galletas saladas? ______________________
- Reyna dice que por 2 jugos de 250 mililitros (mL) se pagarían $8.00 y Rosa dice que $9.00. ¿Quién hizo una mejor aproximación? ______________________
- ¿De cuánto es la diferencia entre el precio de 1 litro de jugo y el de medio litro? ______________________
- Reyna y Rosa compraron exactamente 1 litro de jugo cada una. ¿A quién le costó más barato? ______________________
- Si de las dos listas anteriores sólo compran las galletas y cada quien paga con una moneda de $5, ¿cuánto dinero le sobra a cada una? ______________________

Reto

En el cuadro siguiente encontrarás dos cantidades destacadas en color amarillo. Observa en cada caso que estas cantidades pertenecen tanto a una fila (horizontal) como a una columna (vertical). Realiza la suma de las cantidades que están en la misma fila o en la misma columna, dependiendo de cuál sea la que da el resultado más cercano a 50.

3.56	3.9	13.9	21.4
12.76	9.54	2.35	5.21
8.12	11.34	15.16	8.13
3.15	5.70	2.17	7.65

37 Entre dieces

Lo que conozco. En parejas, resuelvan el problema siguiente.

Saúl tiene 270 pelotas en una caja y quiere formar paquetes de 10 piezas. ¿Cuántos puede formar? ____________ ¿Cuántos paquetes de 100 piezas podrá completar? ____________
Expliquen el procedimiento que siguieron para calcular los resultados.

1. En equipos de tres integrantes, completen la tabla siguiente.

Número de pelotas	Paquetes de ... pelotas		
	1000	100	10
29	0	0	2
320	0	3	
525			52
		8	83
1130	1	11	
1802			
	3		351
8967			

- ¿A partir de qué cantidad de pelotas fue posible formar paquetes de 100 piezas? ____________
- ¿Por qué no pueden formarse paquetes de 1 000 pelotas con las primeras cuatro cantidades? ____________

Escriban el procedimiento para determinar el cociente de cualquier cantidad dividida entre 10, 100 o 1000. Con apoyo del maestro verifiquen que sea correcto.

2. Formen equipos y escriban en tarjetas de 4 cm por 2 cm las siguientes cantidades:
121, 232, 154, 213, 206, 506, 914, 986, 1 004, 1 230, 1 298 y 2 106.
Cubran las caras de una perinola, en tres de ellas anoten el número 10 y en las demás, el 100.

- Coloquen las tarjetas boca abajo sobre la mesa.
- El jugador en turno volteará una tarjeta y hará girar la perinola, para saber entre cuánto tendrá que dividir la cantidad de la tarjeta.
- Si responde correctamente, ganará 1 punto y será el turno de otro jugador.
- Ganará quien obtenga más puntos al concluir con las tarjetas.

3. Resuelve los problemas siguientes.

- Para una fiesta se alquilan 150 platos. Si se colocan 10 platos por mesa, ¿cuántas mesas se necesitan para colocar todos los platos? ____________________
- Los organizadores de las fiestas de san Andrés compraron un televisor de $5 500.00 para rifarlo y obtener recursos. Quieren vender 100 boletos y obtener $2 000.00 después de restar el costo del televisor. ¿A qué precio deben vender cada boleto?
____

Una forma de conocer la parte entera del cociente al dividir una cantidad entre 10, 100 o 1 000 consiste en contar el número de ceros que tiene el divisor y éste será equivalente a la cantidad de cifras que no se consideran de la cantidad a dividir, siempre de derecha a izquierda.

Por ejemplo, al dividir 1 786 entre 10, el cociente es 178 y el residuo es 6, y si 1 786 se divide entre 100, el cociente es 17 y el residuo es 86.

RETO

Felipe cortó naranjas de su huerta. Si coloca 10 por bolsa, le faltan 3 para formar 36 bolsas completas. ¿Cuántas naranjas tiene Felipe? ____________________

38 ¿Cuál superficie tiene mayor perímetro y área?

Lo que conozco. En parejas, encierren con un mismo color las figuras que tienen áreas iguales pero diferentes perímetros.

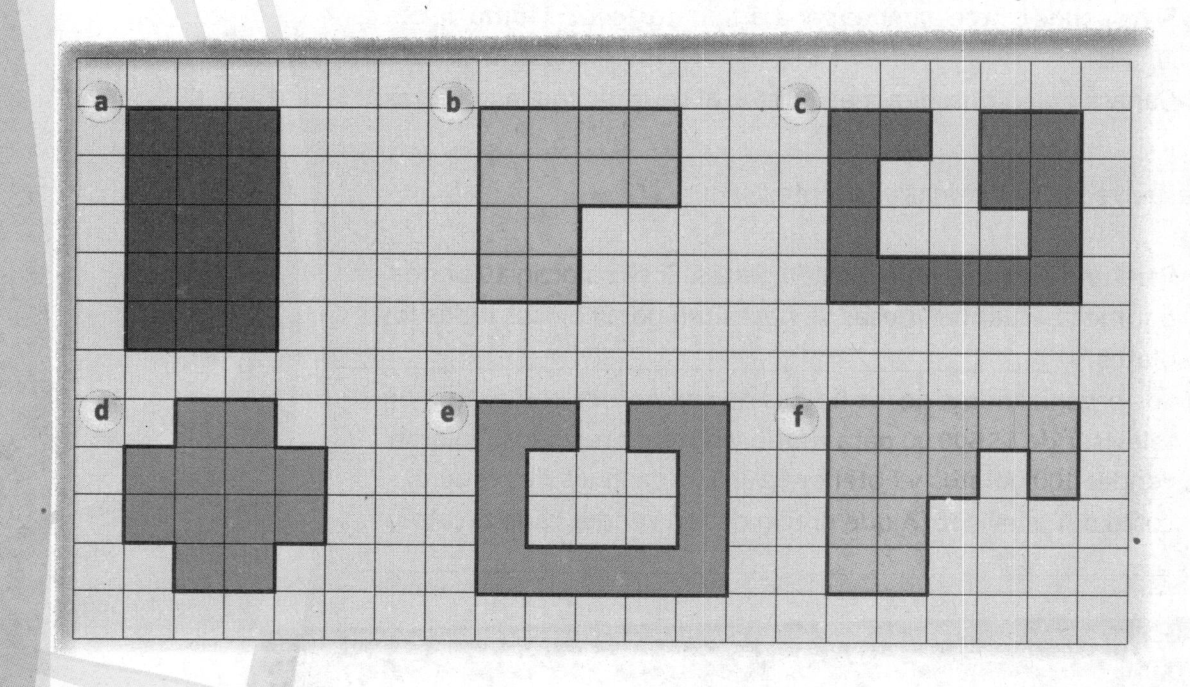

1. Observen con atención las figuras geométricas de la imagen anterior y contesten las preguntas siguientes.

- ¿Cuáles son las figuras que tienen el mismo perímetro? ____________
- Las figuras que tienen el mismo perímetro, ¿tienen áreas iguales? ________
  ¿Por qué? ____
  ____
- ¿Cuáles son las que tienen la misma área? ______________________
- ¿La figura de mayor área es la de mayor perímetro? _______________

2. Calcula el perímetro y el área de cada una de las figuras, utilizando el cuadrado como unidad de medida. Registra tus respuestas en la tabla.

Figura	Perímetro	Área
1		
2		
3		
4		
5		

- Ordena las figuras de menor a mayor perímetro _____, _____, _____, _____, y _____.
- Ordena las figuras de mayor a menor área ___, _____, _____, _____, y ____.

3. Utiliza una regla y calca la unidad cuadrada de área de la actividad anterior para trazar en tu cuaderno los polígonos con las características que se indican a continuación.

- Uno con área de 20 unidades cuadradas.
- Otro con perímetro de 28 cm.
- El tercero, con área de 30 unidades cuadradas y 22 cm de perímetro.

Compara tus polígonos con los de otro compañero y determina si tienen la misma forma.

39 De un metro por un metro

Lo que conozco. En equipos, comenten lo que saben acerca del uso de los centímetros cuadrados o metros cuadrados y en qué situaciones se emplean.

Comenten en grupo las situaciones en las que han escuchado hablar de los m^2 o cm^2.

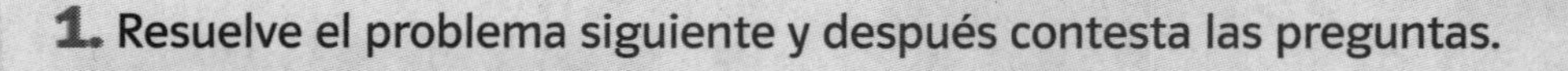

1. Resuelve el problema siguiente y después contesta las preguntas.

- Para cubrir una superficie de 90 cm de largo por 2 m de ancho, ¿cuántas losetas cuadradas de 10 cm por lado se necesitan?
  ____
- Explica cómo obtuvieron su respuesta. ________________
- ¿Cuántos centímetros equivalen a un decímetro? __________
  Explica por qué las losetas empleadas para cubrir la superficie tienen 1 decímetro cuadrado de área. ________________

2. En parejas, realicen lo siguiente.

- Con hojas de periódico, tijeras y cinta adhesiva formen un cuadrado que mida un metro por lado, otro de 1 decímetro por lado y uno más de 1 centímetro por lado. A estos cuadrados los llamaremos "metro cuadrado", "decímetro cuadrado" y "centímetro cuadrado", respectivamente.

Ahora, con los cuadrados, prueben cuál es el más adecuado para medir las áreas de los objetos que se indican en la tabla. Lleven a cabo la medición y regístrenla.

Superficie	Cantidad de		
	Metros cuadrados	Decímetros cuadrados	Centímetros cuadrados
Escritorio del profesor			
La portada de tu libro de Matemáticas			
El pizarrón			
El asiento de tu banca			
La mitad de una hoja de tu cuaderno			

3. Contesta las preguntas siguientes.

- ¿Qué objetos midieron con el metro cuadrado? ____________________
- Observa tu entorno y escribe qué objetos medirías con el metro cuadrado. ________
  ____
- ¿Piensas que en algunas superficies es mejor emplear el centímetro cuadrado? ________ ¿Por qué? ____________________
- ¿En qué tipo de superficies usaste el decímetro cuadrado? ________
- ¿Cuántos decímetros cuadrados se necesitan para cubrir una superficie de tres metros cuadrados? __________

Cuando el profesor lo indique, comparen sus respuestas.
Analiza junto con tus compañeros lo siguiente.

- ¿Es igual hacer mediciones en metros cuadrados que en centímetros cuadrados? ________ ¿Por qué? ____________________
- ¿En qué casos te conviene utilizar m^2 o cm^2? ____________________

❖ Para finalizar, escribe en el siguiente recuadro la conclusión a la que llegaron. Conserven sus cuadrados de papel, pues volverán a utilizarlos.

____

____

____

____

____

____

____

Algunas unidades para medir el área de una superficie son el metro cuadrado (que simbolizamos con m^2), el decímetro cuadrado (dm^2) y el centímetro cuadrado (cm^2).

$$1\ dm^2 = 100^2\ cm$$

$$1\ m^2 = 100\ dm^2 = 10\ 000\ cm^2$$

4. Formen equipos y con hojas de periódico, recorten y construyan superficies que midan:

a) $4\ dm^2$ b) $9\ dm^2$ c) $20\ dm^2$ d) $25\ dm^2$
e) $16\ cm^2$ f) $30\ cm^2$ g) $42\ cm^2$ h) $50\ cm^2$

RETO

Dibuja en tu cuaderno un rectángulo que mida $1\frac{1}{2}\ dm^2$ y cuenta la cantidad de cm^2 que caben en él.
¿Cuál es el resultado? _______________
¿Cuántos cm^2 tiene un rectángulo que mide $8\frac{1}{4}\ dm^2$? _______________

40 Lado por lado

Lo que conozco. Resuelve el problema siguiente y contesta las preguntas.

En la figura cada cuadrado representa 1 cm^2.
¿Cuál es su área? ______________________________

- ¿Cómo obtuviste el área del rectángulo? ______________________
____
____

En grupo y con apoyo del maestro, comparen sus procedimientos. ¿Cuál consideran que fue el mejor? ¿Por qué?

____
____
____
____
____
____
____

1. En parejas, observen las figuras siguientes y completen la tabla. Tomen en cuenta que en una columna los objetos o elementos de una colección se disponen de forma vertical y en una fila se colocan de manera horizontal.

Rectángulo	Número de filas	Número de columnas	Área del rectángulo
1			
2			
3			
4			
5			

Verifiquen su respuesta contando los cuadros.

- ¿Cómo se obtiene el área de un rectángulo? ______________________
- ¿Cuál sería la fórmula para calcular el área?

Para conocer el área de un rectángulo como los anteriores puedes contar el número de cuadros que lo forman, o bien contar cuántas filas y columnas tiene y multiplicarlas. La cantidad de columnas puede representarse con la letra "c" y el de las filas con la "f".

RETO

La señora Juana compró un mantel de forma rectangular. Si de largo mide 4 m y de ancho 3 dm. ¿Cuántos cm^2 de área tiene este mantel?

____

2. Calcula el área de las superficies rectangulares indicadas en la tabla.

Superficie	ancho (c)	largo (f)	Área (A)
1	9 m	10 m	________ m^2
2	14 dm	15 dm	________ dm^2
3	20 cm	12 cm	________ cm^2

Una fórmula matemática es una regla o relación matemática expresada por medio de símbolos, números y letras. Las letras corresponden a cantidades que varían y los números son datos constantes o fijos.

Por ejemplo, para calcular el área de un rectángulo en la actividad anterior usamos la fórmula $A = c \times f$.

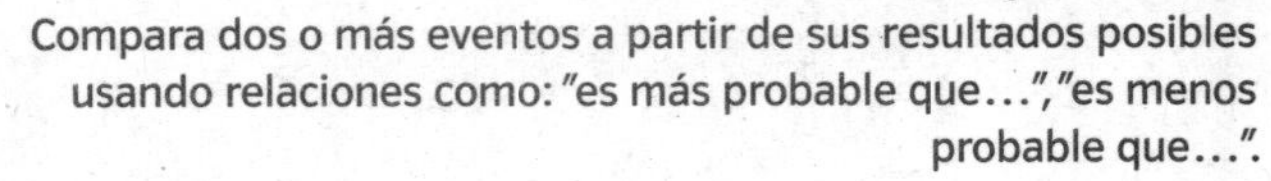

41

Lo más probable es que...

Lo que conozco. En cada inicio subraya la opción correcta.

En una caja con 10 lápices, todos los cuales son de distinto color, ¿qué tan probable es que al sacar dos lápices sin ver, éstos sean...

a) de distinto color?
Muy probable, poco probable o totalmente seguro

b) uno sea rojo?
Muy probable o poco probable.

c) del mismo color?
Muy probable, poco probable o imposible

1. En esta actividad van a necesitar dos dados. Formen equipos de cinco integrantes. En el cuadro de la derecha cada uno elija dos números del 2 al 12 y escriban las iniciales de su nombre al lado de ellos. Tiren dos dados de diferente color, si el resultado de la suma de éstos es igual a uno de los números que eligieron, avanzarán una casilla. Durante el juego cada uno de los integrantes del equipo anotará la cantidad de veces que apareció su número. Tiren los dados las veces que sea necesario hasta que alguien llegue a la meta.

Cada equipo establecerá el número que cayó más veces y el número que cayó menos veces.

Número	Iniciales	1	2	3	4	5	6	7	8	9	10	Meta
2												
3												
4												
5												
6												
7												
8												
9												
10												
11												
12												

2. Se elaborará una tabla en el pizarrón donde se recopilarán los resultados de todos los equipos para obtener los totales de la cantidad de veces que apareció cada uno de los números.

- ¿Qué número fue el ganador? ____________________________
- ¿Qué número cayó menos veces? ____________________________
- Expliquen su respuesta ____________________________
____
____
- Si el juego comienza otra vez, ¿qué números escogerías? ________

3. Lean la siguiente información y realicen la actividad.

Cuando se lanzan dos dados pueden caer distintas parejas de números que al sumarse dan un mismo resultado. Por ejemplo, si se lanzan dos dados, uno azul y uno blanco hay tres pares de resultados que suman 4: que el dado azul caiga 1 y el blanco 3; azul 2, blanco 2 y azul 3, blanco 1.

En la tabla se muestran los resultados al tirar dos dados, uno de color azul y el otro de color blanco. Determinen los diferentes pares de números que al sumarse dan como resultado cada uno de los números del 2 al 12.

Suma de los dados	Cantidad de veces que apareció	Dado azul	Dado blanco	Dado azul	Dado blanco	Dado azul	Dado blanco	Dado azul	Dado blanco	Dado azul	Dado blanco	Dado azul	Dado blanco
2													
3													
4													
5													
6													
7													
8													
9													
10													
11													
12													

En grupo contesten las preguntas.

- ¿Cuál resultado es el que apareció más en el juego? ________________
- ¿Cuál resultado tiene la mayor cantidad de pares en la tabla? ___________
- ¿Cuál número apareció menos en el juego? ____________________
- ¿Cuál resultado tiene la menor cantidad de pares en la tabla? _________
- Si el juego comenzara de nuevo ¿qué números escogerías? __________
____

En grupo expliquen qué número es más probable que salga y cuál lo es menos. Escriban la conclusión a la que llegaron.

RETO

En una bolsa oscura se depositaron 40 esferas de diferente color. $\frac{2}{5}$ del total son azules, $\frac{1}{4}$ rojas, $\frac{1}{8}$ amarillas y 9 esferas son negras. Si se sacara de la bolsa una esfera, ¿de qué color es más probable que salga?

____

Explica brevemente tu respuesta. ____

____

Consulta en...

Ingresen a la siguiente dirección:
http://nlvm.usu.edu/es/nav/frames_asid_186_g_1_t_1.html?open=activities&from=topic_t_1.html
En parejas, utilicen la simulación para identificar cuál es el evento más probable y cual el menos probable.

42

Los zapatos de moda

Lo que conozco. Subraya la afirmación correcta.

La forma en que se acomodaron los comensales de una fiesta se muestra en la siguiente tabla.

Mesa	Mujeres	Hombres	Menores
1	3	4	4
2	5	4	3
3	7	5	3
4	8	5	0
5	7	2	5

- La mayoría de los comensales son mujeres.
- La mayoría de los comensales son hombres.

En la siguiente tabla se presentan las calificaciones de 6 alumnos.

Alumno	Bimestre				
	1	**2**	**3**	**4**	**5**
1	5	6	5	7	7
2	6	6	7	7	7
3	6	7	8	7	7
4	8	6	7	7	5
5	7	7	7	8	9
6	7	8	6	7	9

- La mayoría los alumnos aprobó con más de 7.
- La mayoría los alumnos aprobó con menos de 7.

Comenten cómo encontraron la afirmación correcta.

1. Resuelve el problema siguiente.

En una zapatería el encargado anotó en un papel los zapatos vendidos en los tres últimos días de la semana, y para ello usó las siguientes claves: Z para zapatillas, T para los tenis y B para botas de caballero. También incluyó el número de calzado, por ejemplo, B27 representa un par de botas del número 27.

A continuación se presentan las anotaciones del encargado.

Viernes: Z21, Z22, B27, B28, T17, Z23, T19, B26, B27 y Z23.

Sábado: Z23, T19, B26, B27, Z23, B27, B28, T17, Z23, T19, B26, B27 y Z23.

Domingo: T17, Z23, T19, B26, B27, Z21, Z23, T19, B26, B27, Z23, B27, B28, T17, Z23, B27 y Z23.

- ¿Cuál fue el tipo de calzado que más se vendió en los tres días? ____________________
- ¿Qué número de las botas se vendió más? ______________
- De los tenis, ¿qué número se vendió menos?____________
- ¿Por qué resulta importante que el encargado de la zapatería sepa qué dato se repite más veces? ____________
____
____

2. En grupo, organícense para registrar en el pizarrón el mes de nacimiento de cada uno de ustedes. Después anoten en la siguiente tabla cuántos compañeros cumplen años cada mes.

Mes	Número de alumnos que nacieron en ese mes	Mes	Número de alumnos que nacieron en ese mes
Enero		Julio	
Febrero		Agosto	
Marzo		Septiembre	
Abril		Octubre	
Mayo		Noviembre	
Junio		Diciembre	

❖ A partir de la información obtenida se quiere saber cuál es el mes en que nacieron más niños; a ese dato se le llama moda. ¿Cuál es la moda de los datos que tienen en la tabla? ____________________

En un conjunto de datos el valor que aparece con mayor frecuencia (número de veces) es la moda. Puede ser una lista de calificaciones, número de pares de zapatos que se venden diariamente en una tienda, entre otros.

3. Observa la siguiente ilustración.

Rosas
Claveles
Jacarandas
Jasmines

❖ ¿Qué flor representa la moda?

____

❖ Si sólo se toman en cuenta los claveles, ¿de qué color es el clavel que representa la moda? __________

RETO

De los 36 niños de un salón, $\frac{1}{3}$ tiene 9 años, $\frac{1}{4}$ tiene 9 años 6 meses, $\frac{1}{6}$ tiene 9 años 9 meses y 9 niños tienen 10 años. ¿Cuál de estos datos es la moda? ____________________

Integro lo aprendido

Ahora aplicarás los conocimientos construidos en el bloque. Resuelve los siguientes problemas.

Observa el siguiente tablero y contesta las preguntas.

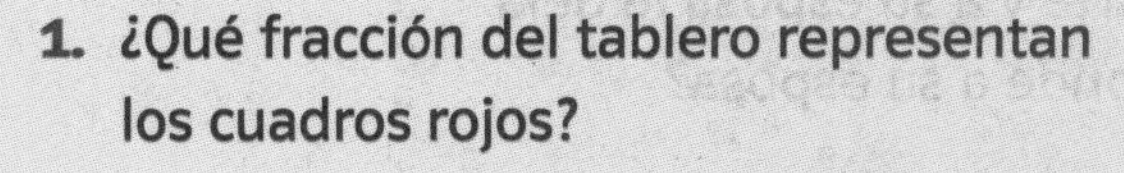

1. ¿Qué fracción del tablero representan los cuadros rojos?
   ____

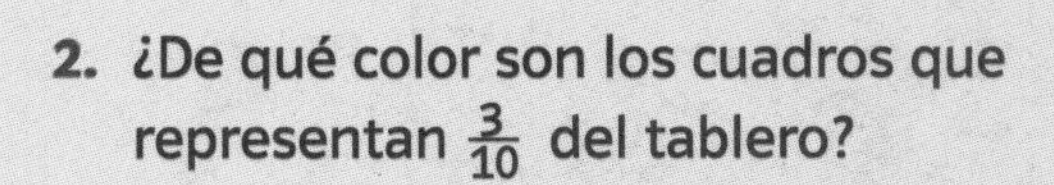

2. ¿De qué color son los cuadros que representan $\frac{3}{10}$ del tablero?
   ____

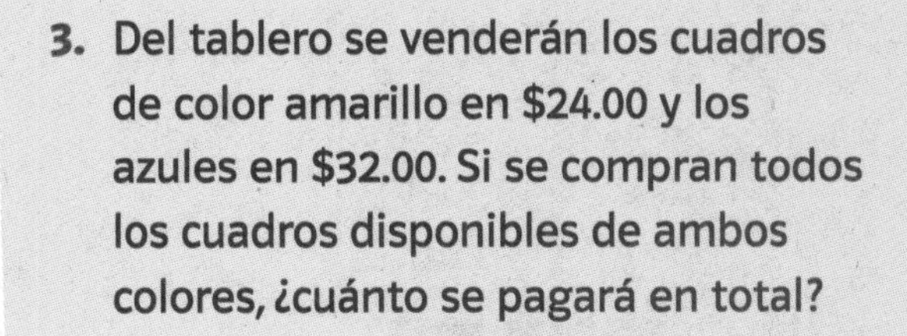

3. Del tablero se venderán los cuadros de color amarillo en \$24.00 y los azules en \$32.00. Si se compran todos los cuadros disponibles de ambos colores, ¿cuánto se pagará en total?
   ____

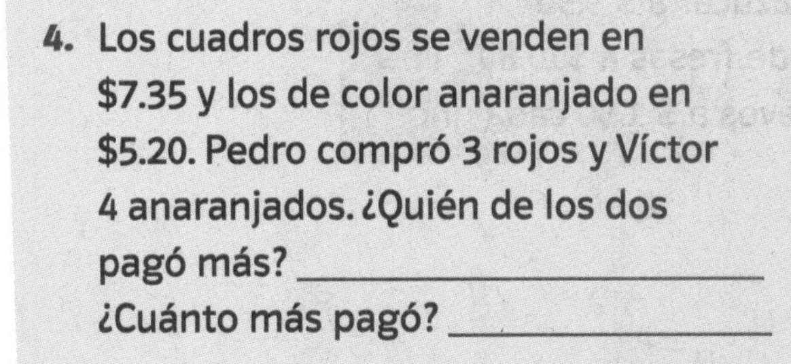

4. Los cuadros rojos se venden en \$7.35 y los de color anaranjado en \$5.20. Pedro compró 3 rojos y Víctor 4 anaranjados. ¿Quién de los dos pagó más? ________________
   ¿Cuánto más pagó? ________________

5. De los polígonos que forman los cuadros azules y los amarillos, ¿cuál tiene mayor perímetro? ____________

6. ¿Cuáles son los polígonos que tienen la misma área pero diferente perímetro? ____________
   y ____________

7. Si cada uno de los cuadros mide 2 cm por lado, ¿cuántos dm^2 cubren la superficie del tablero? ____________

8. Si se recortan todos los cuadros del tablero y se depositan en una caja para después extraer uno de ellos, ¿qué color tiene más posibilidad de salir? ____________

9. Tomando en cuenta los colores de los cuadros del tablero, ¿cuál es la moda?

Evaluación

A continuación resolverás problemas en los que aplicarás los conocimientos aprendidos en el bloque.

Instrucciones. Encierra la letra que corresponda a la respuesta correcta.

1. Dolores y sus amigos están jugando a escribir cosas ciertas y cosas falsas. ¿Quién de ellos escribió un enunciado falso?

a) Dolores: $2\,121 > 2\,112$
b) Lupita: $1\,999 < 1\,899$
c) Jesús: $4\,001 > 4\,000$
d) Manuel: $511 < 5\,100$

2. Un padre decide repartir $18 000 entre sus tres hijos de acuerdo con la edad de cada uno: al mayor le deja la mitad; al de en medio, la tercera parte; al más pequeño, la novena parte y a su esposa le deja el resto. ¿Qué cantidad de dinero le corresponde a su esposa?

a) $ 9000
b) $ 6000
c) $ 2000
d) $ 1000

3. Una caja de chocolates cuesta $38. ¿Cuánto costarán 75 cajas?

a) $ 2660
b) $ 190
c) $ 2850
d) $ 418

4. La mamá de Esteban va a preparar un postre para su familia y con ese fin ha comprado lo siguiente:

1 l de leche a $ 7.80
$\frac{1}{4}$ de azúcar a $ 5.50
1 kg de fresas a $10.80
5 huevos a $ 1.50 cada uno

¿Cuánto pagó por todos los ingredientes?

a) $ 31.60
b) $ 38.80
c) $ 25.60
d) $ 28.80

5. En la empresa donde trabaja Ricardo desean guardar $10 550.00 en 100 sobres para repartirlos entre los empleados. ¿En dónde se muestra el procedimiento correcto para saber cuánto debe contener cada bolsa?

a) $ 10 550.00 ÷ 100 = $ 10 550 000
b) $ 10 550.00 ÷ 100 = $ 550
c) $ 10 550.00 ÷ 100 = $ 105.50
d) $ 10 550.00 ÷ 100 = $ 1 055.50

6. Linda desea colocar un listón para decorar un cuadro que tiene la siguiente forma. ¿Qué cantidad de listón necesita?

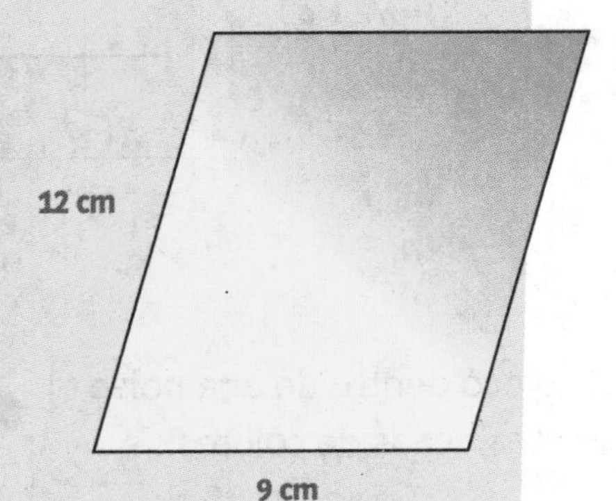

a) 108 cm^2
b) 42 cm^2
c) 33 cm^2
d) 21 cm^2

7. Diego está completando una página de su álbum. A continuación se observan los lugares en donde están pegadas las estampas y los lugares en donde faltan.

Si cada ▢ representa una unidad cuadrada, ¿cuántas unidades cuadradas tiene esta página del álbum.

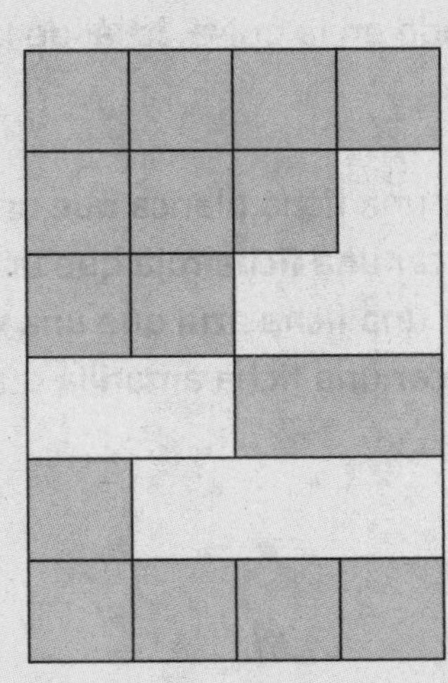

a) 16
b) 8
c) 24
d) 20

8. Ramiro desea encontrar una fórmula para obtener el área del siguiente rectángulo. ¿Cuál es la fórmula correcta que encontró Ramiro considerando las unidades cuadradas que tiene?

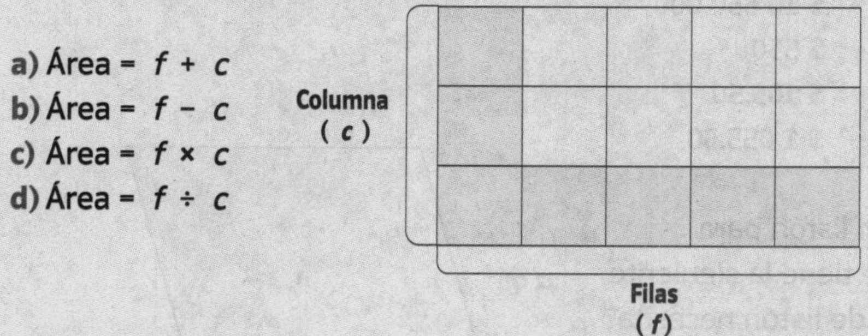

a) Área = $f + c$
b) Área = $f - c$
c) Área = $f \times c$
d) Área = $f \div c$

9. Emanuel colocó dentro de una bolsa las siguientes fichas de colores:

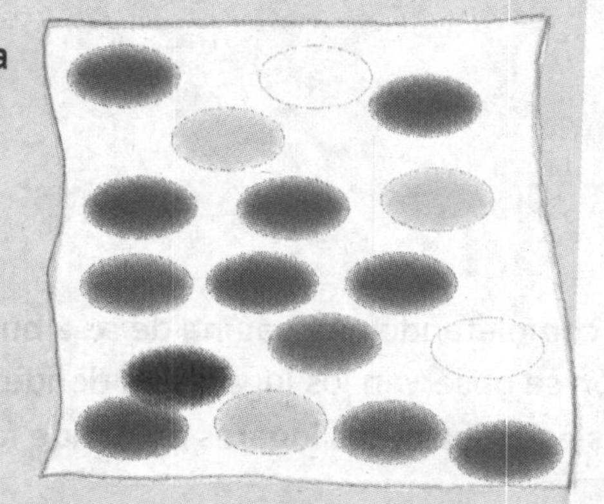

De acuerdo con lo mostrado en la bolsa, ¿cuál de las siguientes expresiones es correcta?

a) Es más probable sacar una ficha blanca que una negra.
b) Es menos probable sacar una ficha roja que una negra.
c) Es más probable sacar una ficha azul que una verde.
d) Es menos probable sacar una ficha amarilla que una roja.

Autoevaluación

En las casillas correspondientes, marca con una paloma ✓ lo que mejor refleje lo que piensas.

Contenidos procedimentales	Siempre lo hago	Lo hago a veces	Difícilmente lo hago
Resuelvo problemas que implican multiplicar números naturales.			
Identifico la moda en un conjunto de datos.			
Valoro la ocurrencia de los resultados de experimentos aleatorios sencillos, utilizando expresiones como "más probable que...", "menos probable que...", "igual de probable que...", entre otras.			
Ordeno números naturales a partir de su escritura.			

Contenidos actitudinales	Siempre lo hago	Lo hago a veces	Difícilmente lo hago
Respeto las reglas que se establecen en el grupo.			
Respeto a mis compañeros.			
Cuando trabajo en equipo, aprendo de mis compañeros.			
Cuando trabajo en equipo, efectúo mejor las cosas que si las llevo a cabo individualmente.			

Aprendizajes esperados

- **Resuelve problemas donde emplea el algoritmo de la división de números de hasta tres cifras entre números de hasta dos cifras.**
- **Resuelve problemas que implican multiplicar fracciones por un número natural.**
- **Resuelve problemas que implican multiplicar números decimales por un número natural.**
- **Calcula mentalmente la diferencia entre un número natural dado y un múltiplo de 10 o una potencia de 10.**
- **Resuelve problemas sencillos de conteo.**

43 El reparto

Lo que conozco. Explica los procedimientos que siguieron Karen y Lalo para resolver la división.

Karen

```
          20
    57 | 1 140
57 × 3   − 171
           969
57 × 8   − 456
           513
57 × 5   − 285
           228
57 × 2   − 114
           114
57 × 20 =  114
             0

3 + 8 + 5 + 2 + 2 = 20
```

Lalo

```
          20
    57 | 1 140

57 × 10  = 570      le falta
57 × 100 = 5 700    se pasó
57 × 40  = 2 280    se pasó
57 × 15  = 855      le falta
57 × 20  = 1 140    acerté
```

Karen ______________________________
____
____
____
____
____

Lalo ______________________________
____
____
____
____
____

1. En parejas resuelvan el problema siguiente.

Alan ganó $345.00 en un concurso de disfraces y compartió su premio con sus 2 hermanos, Diego y Gabriela. Si tiene 3 billetes de $100 y 9 monedas de $5, ¿cómo puede distribuir el dinero de manera equitativa? ______________________________

❖ ¿Cuánto dinero recibió cada uno? ______________________________

Dibuja cómo distribuyó el dinero entre ellos tres.

- ¿Pudo repartir el dinero de manera exacta o le sobró? ____________
- Si le hubieran dado 4 billetes de $50, 4 billetes de $20, 6 monedas de $10 y 5 monedas de $1, ¿cómo habría repartido el dinero en tres partes iguales con los billetes y monedas de esas denominaciones? ____________________________________
- ¿Qué resulta más sencillo, hacer el reparto del dinero con el conjunto de los billetes de $100 o con el de los billetes de $50? ______________
- ¿Por qué? ____

____

2. Reparte los objetos correctamente y completa la tabla siguiente.

Número de personas	Total de objetos que se van a repartir	Cuánto le correspondió a cada persona	Objetos sobrantes que ya no se pueden repartir
50	150 lápices		
30	900 hojas de papel		
25	528 galletas		
10	187 estampas		

3. Formen equipos para resolver los problemas.

- Se celebrará una feria en el pueblo y al maestro Juan le entregaron 200 boletos para repartir entre sus 25 alumnos. ¿Cuántos boletos le corresponderán a cada alumno? ______________________________
- El entrenador del equipo de futbol Atlético afirmó en una conferencia que su equipo llevaba 450 minutos sin recibir un gol. ¿Cuántos partidos representa este número si un partido dura 90 minutos? _____
- Alan le dijo a su hermana Ángela que sólo tardaría 360 segundos en bañarse. ¿A cuánto equivale en minutos el tiempo que tardará en bañarse si cada minuto tiene 60 segundos?

____

Comparen con otros equipos sus procedimientos utilizados para resolver los problemas.

RETO

En parejas, resuelvan los problemas.

En la escuela Emiliano Zapata se realizó un concurso. El premio era un viaje al bosque para participar en la campaña de reforestación Planta un árbol. El grupo ganador fue el de cuarto grado de primaria. A su profesor le entregaron 690 árboles.

- Si en el grupo hay 30 alumnos y a cada uno le corresponde plantar la misma cantidad de árboles, ¿cuántos árboles plantará cada alumno?

  ____

  Describan el procedimiento que siguieron para obtener este resultado.

  ____
  ____
  ____
  ____
  ____

- Un alumno tarda alrededor de 10 minutos en plantar un árbol. ¿Cuánto tiempo le tomará plantar los que le corresponden? Escribe tu respuesta usando horas y minutos.

  ____

- Se cuenta con tres terrenos del mismo tamaño y forma. ¿Cuántos árboles se plantarán para que haya la misma cantidad en cada uno? ___

  ____

Cuando terminen, investiguen por qué es importante cuidar los árboles que existen en las escuelas, en los parques, en los bosques. Busquen información en la biblioteca de su escuela, en los libros de la Biblioteca de Aula o en internet.

Ingresa a la siguiente dirección:
http://nlvm.usu.edu/es/nav/frames_asid_193_g_1_t_1.html?from=topic_t_1.html
Utiliza el simulador para resolver ejercicios que te permitan poner en práctica lo aprendido en esta lección.

Estima cocientes de divisiones con divisores de una cifra, encuadra el resultado de una división entre potencias de 10 y determina el número de cifras del cociente.

44 ¿El cociente es...?

Lo que conozco. En un supermercado se muestran los siguientes productos con sus precios.

Reúnete con un compañero y a partir de la información anterior estimen el precio de cada producto y subrayen la respuesta que consideren correcta.

- Cada galleta cuesta:
  a) Menos de $5.00
  b) Entre $3.00 y $4.00
  c) Menos de $3.00
- Cada pañal cuesta:
  a) Menos de $5.00
  b) Entre $6.00 y $10.00
  c) Entre $10.00 y $20.00
- Cada litro de leche cuesta:
  a) Menos de $10.00
  b) Entre $10.00 y $20.00
  c) Entre $15.00 y 420.00
- Cada sartén cuesta:
  a) Menos de $150.00
  b) Entre $110.00 y $130.00
  c) Más de $150.00
- Cada película cuesta:
  a) Menos de $80.00
  b) Entre $80.00 y $100.00
  c) Más de $100.00
- Realice cada uno en su cuaderno las operaciones necesarias para calcular el precio de cada artículo y observen si sus respuestas fueron las correctas.

Para estimar un cociente, uno de los procedimientos consiste en encuadrarlo entre potencias de 10, 100, 1 000, etcétera, y redondear el dividendo a la decena o centena más cercana.

Por ejemplo, si 6 películas cuestan 540 pesos y se quiere saber cuál es el precio de cada película, entonces observamos que el precio debe ser un número mayor que 10 porque 6 × 10 = 60 y menor que 100 pesos porque 6 × 100 = 600, por lo tanto, el cociente tendrá dos cifras. También podemos ver que 6 × 9 = 54, y si este producto lo multiplicamos a su vez por 10 dará como resultado 540. Entonces, 90 pesos es el resultado correcto.

1. En parejas, escriban un enunciado con la respuesta de cada problema en una tarjeta o en una hoja de papel. Cuando terminen, entreguen su tarjeta al profesor. Recuerden escribir sus nombres en la tarjeta que entregarán. Ganará la pareja con más aciertos.

- Ángela compró 18 manzanas para preparar pasteles. Si en un pastel utilizó 3 manzanas, ¿cuántos pasteles puede preparar con las manzanas que compró?
  a) 1 **b)** 6 **c)** 3 **d)** 4

- Rebeca elaboró 135 llaveros y los repartió entre sus 9 mejores amigos. ¿Cuántos llaveros le dio a cada uno?
  a) 6 **b)** 5 **c)** 15 **d)** 7

- Un pintor necesita 90 litros de pintura para pintar una casa. Si cada lata contiene 2 litros, ¿cuántas debe comprar?
  a) 10 **b)** 20 **c)** 45 **d)** 5

- El dueño de un restaurante quiere comprar 707 cubiertos. Si cada paquete contiene 7, ¿cuántos necesita?
  a) 101 **b)** 11 **c)** 100 **d)** 10

- El señor Jorge quiere vender su casa y debe hacer propaganda para anunciarla. Si cada anuncio cuesta $5.00, ¿cuántos puede pagar si tiene $830.00?
  a) 160 **b)** 166 **c)** 150 **d)** 125

- Diego tiene que acomodar 384 donas y en cada caja caben 12. ¿Cuántas cajas necesita?
  a) 30 **b)** 31 **c)** 32 **d)** 35

❖ ¿Cuántos aciertos tuvieron? ____________________

❖ ¿Cómo pudieron comprobar las respuestas correctas de estos problemas?

____

❖ ¿Cuántos errores tuvieron? ____________________

❖ ¿Cuáles fueron los errores más frecuentes? ____________________

____

❖ Revisen nuevamente los ejercicios incorrectos y corríjanlos en su cuaderno.

RETO

Observa los números que están en los recuadros. Selecciona los que se solicitan en cada una de las preguntas.

❖ Escoge dos números del recuadro para completar la división.

______ ÷ ______ = 7

2	13	14	28

❖ ¿Cuáles son los dos números del recuadro que al dividirse dan como resultado el cociente de 6?

5	8	27	30

______ ÷ ______

❖ ¿Cuáles son los dos números del recuadro que al dividirse dan como resultado el cociente de 9?

3	4	36	71

______ ÷ ______ = 6

❖ ¿Cuáles son los dos números del recuadro que al dividirse dan como resultado el cociente de 8?

4	32	50	76

______ ÷ ______

¿Cuánto queda?

Lo que conozco. Para una fiesta, se prepararán mesas con 12 lugares en cada una.

Si están invitadas 148 personas, ¿cuántas mesas se deberá preparar? _______
¿Por qué? ____

____

¿Cuántos lugares quedarán desocupados en algunas mesas? ___________

1. Resuelve el problema siguiente.

Con el fin de recaudar fondos para una asociación que ayuda a niños invidentes, en la escuela de María se organizó un festival de danza folclórica. Se vendieron 363 boletos; si el teatro donde se realizó el espectáculo tiene filas con 15 asientos en cada una:

- ¿Cuántas filas de asientos se requirieron para sentar todas las personas?___________________
- ¿Cuántas filas completas hubo?

____

- ¿Cuántos asientos faltaron para completar la otra fila?

____

- Completa la tabla para saber cuántas filas se llenaron, de acuerdo con el número de boletos vendidos, y explica brevemente cuál fue tu estrategia para completarla.

____

____

Número de boletos vendidos	Filas	Sillas sobrantes
510		
807		
719		
483		

2. Reúnanse con un compañero y resuelvan los problemas siguientes.

- Si son las 20:30 horas, ¿qué hora será dentro de 430 minutos? ______________________________
- ¿Será el mismo día? ______________________________
- Si hoy es lunes, ¿qué día de la semana será dentro de 750 días? ______________________________
- ¿Y dentro de 3 710 días? ______________________________

3. En equipos, completen la tabla siguiente.

Dividendo	Divisor	Cociente	Residuo
35 globos	3 niños		
78 manzanas	24 niños		
66 lápices	12 paquetes		
837 calcetines	Pares de calcetines		

46 Fracciones de metros completos

Lo que conozco. En la lonchería de doña Leticia hoy se consumieron 6 botellas de $\frac{3}{4}$ de litro de jugo de manzana.

- ¿Cuántos litros de jugo se consumieron? ____________________
- ¿Cuántas botellas más se tendrían que haber consumido para alcanzar litros completos de jugo? ________________________

1. En parejas, resuelvan el problema siguiente.

- María tiene 5 trozos de tela y cada uno mide $\frac{3}{4}$ de metro, pero necesita saber cuántos metros tiene en total.

- ¿Cuántos metros de tela tiene María? ________________
- Expliquen cómo encontraron la respuesta ________________ ________________________________
- Demuestren su respuesta utilizando los rectángulos.
- Comparen su demostración con otras parejas.
- ¿A qué conclusión llegaron? ________________
- Si cada rectángulo representara $\frac{2}{3}$ m de tela, ¿cuántos rectángulos se necesitaría para tener 12 m de tela? ________________
- Si el metro de tela cuesta $100.00, ¿cuánto hay que pagar por los 12 m? ________________________________

En el siguiente espacio representen dos unidades, uniendo trozos de $\frac{2}{5}$.

❖ ¿Cuántos trozos dibujaron? ____

2. Reúnanse con un compañero y resuelvan los problemas.

❖ Paola recibe $100.00 de domingo y acostumbra ahorrar la mitad del dinero que le da su papá cada semana. ¿Cuánto lleva ahorrado en 7 domingos? ____________

❖ Cecilia compra diariamente $\frac{3}{4}$ de kilogramo de quesillo para su negocio. ¿Cuánto compra en total durante 5 días? ________

❖ Carmen decidió peinar a todas sus muñecas, por lo que compró $\frac{7}{8}$ m de listón de color rojo, la misma cantidad de listón azul y la misma de listón amarillo. ¿Cuántos metros de listón compró en total? ____________

❖ Los hermanos Daniel y Gabriela practican natación $\frac{1}{2}$ hora al día, de lunes a jueves. ¿Cuántas horas a la semana dedican cada uno de los hermanos a esta actividad?

____

❖ Karla acostumbra beber $\frac{3}{5}$ de litro de leche todos los días. ¿Cuántos litros bebe en dos semanas? ____________

En sus cuadernos, dibujen o describan cómo encontraron el resultado de cada uno de los problemas.

Comenten con otras parejas sus resultados y la manera en que los obtuvieron. Con ayuda del maestro escriban una conclusión grupal.

____

____

____

____

Ingresen a la siguiente dirección:
http://www.ite.educacion.es/w3/recursos/primaria/matematicas/fracciones/menuu6.html
Podrán resolver diversos ejercicios donde aplicarán lo aprendido en la lección.

RETO

Observa las botellas y completa la información que se solicita en la tabla. Analiza el ejemplo.

	Número de botellas que se necesitan para:				¿Cuántas botellas faltan?			
Tengo	2 litros	3 litros	5 litros	10 litros	2 litros	3 litros	5 litros	10 litros
$\frac{1}{3}$ $\frac{1}{3}$ $\frac{1}{3}$ $\frac{1}{3}$	6				2			
$\frac{1}{8}$ $\frac{1}{8}$ $\frac{1}{8}$ $\frac{1}{8}$ $\frac{1}{8}$ $\frac{1}{8}$								
$\frac{1}{4}$ $\frac{1}{4}$ $\frac{1}{4}$ $\frac{1}{4}$ $\frac{1}{4}$ $\frac{1}{4}$ $\frac{1}{4}$ $\frac{1}{4}$								
$\frac{1}{2}$ $\frac{1}{2}$ $\frac{1}{2}$ $\frac{1}{2}$ $\frac{1}{2}$								
$\frac{1}{6}$ $\frac{1}{6}$ $\frac{1}{6}$								

Problemas multiplicativos
Resuelve situaciones de multiplicación de números decimales por un número natural que hagan referencia a precios expresados en pesos y centavos.

47 ¿Cuántos puedo comprar?

Lo que conozco.

César tiene $10.00 y quiere comprar 6 lápices. ¿Le alcanzará el dinero para comprarlos? ________________
¿Cuántos lápices puede comprar con los $10.00?
____

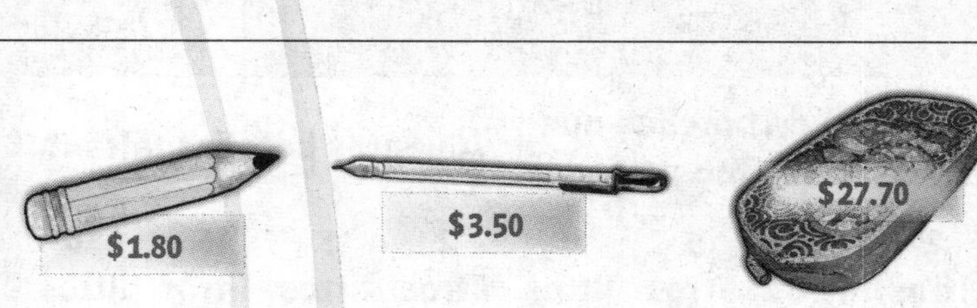

1. En equipo, respondan las preguntas.

Silvia y David fueron a la papelería a comprar material para elaborar un trabajo que les solicitaron en la escuela.

- Silvia pidió 8 bolígrafos de diversos colores. ¿Cuánto dinero pagó por todos ellos?
- ¿Qué hicieron Silvia y David para saber cuánto debían pagar por todos los bolígrafos? ________________
- ¿Cuánto pagará David por 7 cuadernos? ________________
- ¿Cuánto pagará Silvia por 4 lápices? ________________
- ¿Cuánto pagará Silvia por 5 paquetes de hojas? ________________
- ¿Cuánto pagará David por 3 estuches de plumones? ________________
- ¿Cuánto dinero debe pagar David por 6 lápices? ________________
- David lleva $150.00 y Silvia, $200.00. ¿A quién le faltó dinero y cuánto le faltó? ______
  ____
- ¿A quién le sobró dinero y cuánto le sobró? ________________

Si se tienen varios artículos con un mismo precio, un procedimiento que se puede utilizar para saber su costo total es sumar el precio de todos los artículos. También se puede multiplicar su precio por el número de artículos que se tienen.

2. Valentina y su mamá fueron a un supermercado que en lugar de vender la fruta por kilogramo la vende por pieza. Compraron 3 mangos, 4 manzanas, 6 peras, 1 piña y 10 guayabas.

Reúnanse en equipo y contesten las preguntas.

❖ ¿Cómo pueden saber cuánto pagarán por toda la fruta?

____

❖ Valentina organizó así su información para saber cuánto tienen que pagar.

Mangos		×		= $	
Manzanas		×		= $	
Peras		×		= $	
Piña		×		= $	
Guayaba		×		= $	
				Total $	

❖ ¿Por cuál fruta pagaron más dinero en total? _______________

❖ ¿Por cuál fruta pagaron menos dinero en total? _______________

❖ ¿Cuánto pagaron por toda la fruta? _______________

❖ ¿Les ayudó la forma que ideó Valentina para saber lo que tenían que pagar?

____

Para resolver multiplicaciones que tienen un número decimal, se procede de la misma manera que con una multiplicación con números naturales, pero en este caso se debe considerar el punto decimal para colocarlo en el lugar correcto y señalar el mismo número de cifras decimales.

Por ejemplo, si multiplicas 43.50 × 65, se efectúa la operación como si se tratara de dos números naturales. Una vez obtenido el resultado, se cuentan los números que están después del punto decimal, que en este caso son dos, y se coloca entonces el punto en el producto final, contando el mismo número de lugares (o cifras) de derecha a izquierda.

$$\begin{array}{r} 43.50 \\ \times\ 65 \\ \hline 21750 \\ 26100 \\ \hline 2827.50 \end{array}$$

3. Efectúa las operaciones siguientes.

7.95 × 6 =	3.4 × 15 =
5.85 × 8 =	4.75 × 27 =
9.5 × 4 =	2.82 × 53 =
8.65 × 9 =	5.38 × 87 =
6.3 × 7 =	9.32 × 31 =
	2.49 × 59 =

RETO

Reúnete con un compañero y resuelvan los problemas.

Un auto rojo consume 0.075 litros de gasolina por cada kilómetro recorrido y un auto azul consume 0.082 litros de gasolina por cada kilómetro.

- ¿Cuánta gasolina necesita cada auto para recorrer 125 kilómetros?

  Auto rojo: ______________________

  Auto azul: ______________________

- Si el litro de gasolina cuesta $9.96, ¿cuál es el importe por el consumo de gasolina que se debe pagar por cada auto en un trayecto de 540 kilómetros?

  Auto rojo: ______________________

  Auto azul: ______________________

48 ¿Cuánto falta para 10?

Lo que conozco. Reúnete con otro compañero y contesten las preguntas.

Frente a los números 100, 10 y 1 000 encontrarán dos grupos de tres tarjetas. Seleccionen de cada grupo aquella que tenga el número más cercano al mostrado en la tarjeta grande.

- Expliquen sus respuestas. ____________________________________

  ____

  La diferencia entre 100 y el número más cercano es: ____________
  La diferencia entre 10 y el más cercano es: ________________
  La diferencia entre 1000 y el más cercano es: _______________

- Comparen sus respuestas con las de otros equipos. Con apoyo del maestro, escriban una conclusión general. __________________

  ____
  ____
  ____
  ____

Tarjeta grande	Grupo 1	Grupo 2
100	90	109
	93	101
	95	116
10	8	12
	7	13
	6	11
1000	909	1012
	985	1111
	990	1009

1. Escribe el número que falta en cada una de las operaciones siguientes.

27 + ______ = 60
78 + ______ = 100
387 + ______ = 500
______ + 682 = 800
______ + 115 = 300
769 + ______ = 900
______ + 243 = 600
______ + 39 = 200
______ + 83 = 300

El número que falta en cada operación completa el resultado propuesto, es decir, es el complemento o la diferencia.

Por ejemplo, el complemento de 26 para llegar a 30 es 4. La diferencia entre 30 y 26 es 4.

3. ¿Qué procedimiento emplearías para saber cuánto le falta a 387 para llegar a 500? Escríbelo a continuación: ______________________________
____

Javier descubrió una forma para encontrar los complementos de algunos números. Por ejemplo, si tiene el número 387 y desea saber cuál es la distancia entre éste y 500, procede así:

Con 3 llego a 390
Con 10 llego a 400
Con 100 llego a 500

Por lo tanto, la distancia de 387 a 500 es 100 + 10 + 3 = 113.

Ahora tú responde:

- Si tienes 768, ¿cuánto te falta para llegar a 900?
  ____________ ____________ ____________
- Si tienes 39, ¿cuánto te falta para llegar a 200?
  ____________ ____________ ____________
- Si tienes 491, ¿cuánto te falta para llegar a 700?
  ____________ ____________ ____________

49

Los triángulos

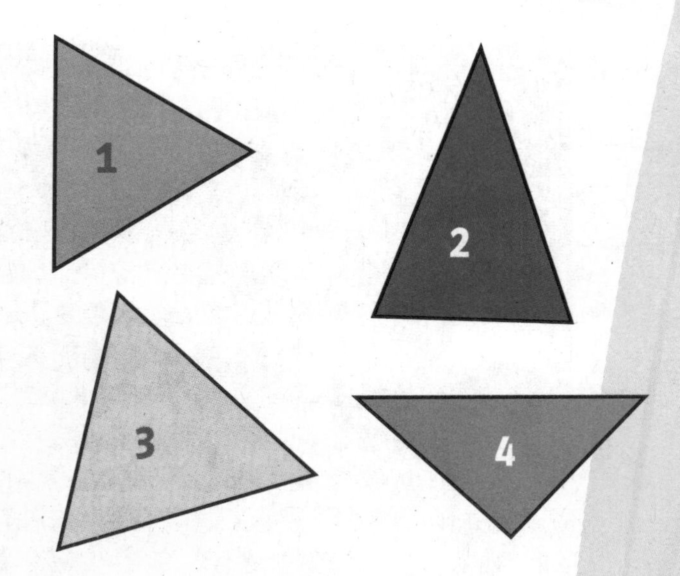

Lo que conozco.

Agrupa los triángulos según la medida de sus ángulos y di cuáles se parecen.

1. Utiliza una regla, escuadra o compás para reproducir en tu cuaderno los siguientes triángulos.

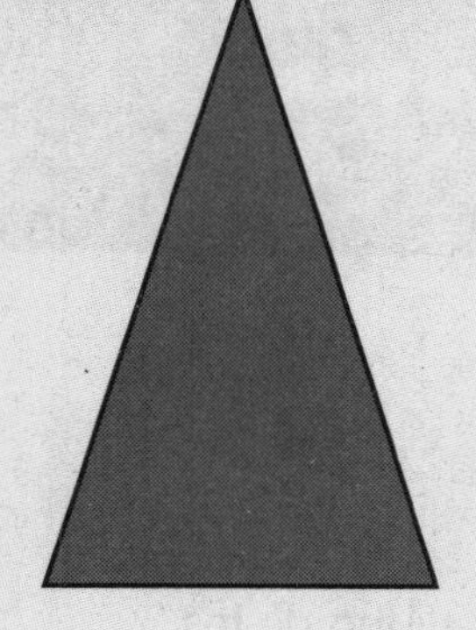

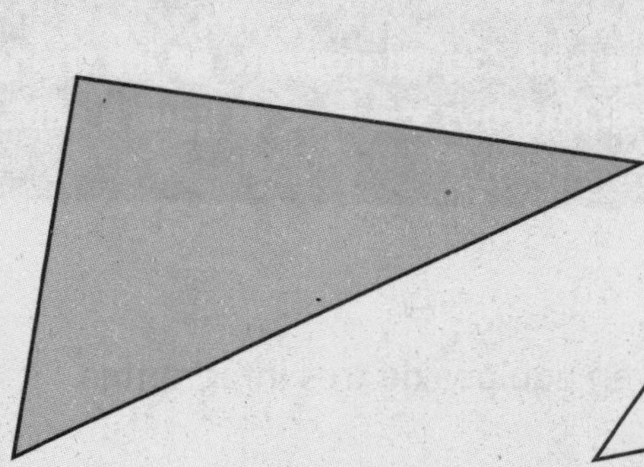

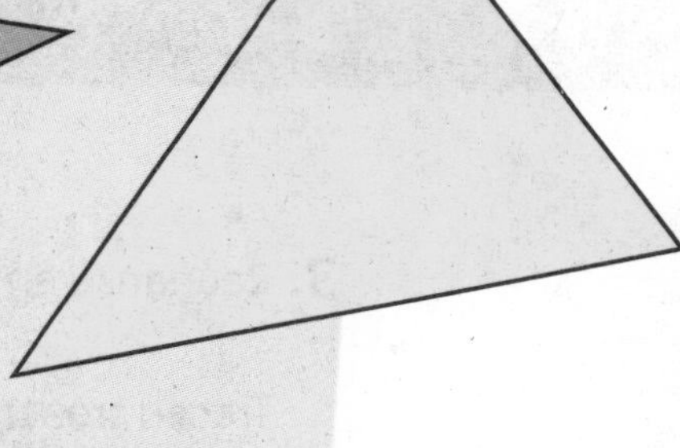

- En grupo, comenta qué tuviste que medir para poder trazarlos igual.

2. Con ayuda de un transportador, traza en tu cuaderno un triángulo cuyos ángulos midan uno 60° y otro 20°. ¿Cuánto mide el tercer ángulo? ________________

- Compara el triángulo que trazaste con el de tus compañeros.
- ¿Fueron diferentes los triángulos? ___________________________

Los triángulos pueden clasificarse de acuerdo con las medidas de sus lados.

- Un triángulo **equilátero** es aquel cuyos lados son iguales. Además, sus tres ángulos internos miden lo mismo.
- Un triángulo **isósceles** tiene dos lados iguales y dos de sus ángulos internos miden lo mismo.

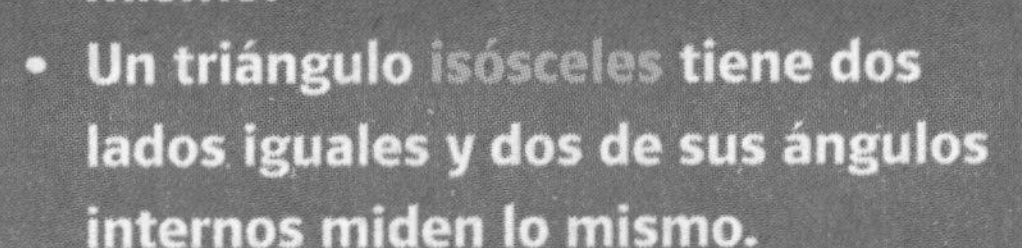

- Un triángulo **escaleno** es aquel cuyos lados, así como sus ángulos, son distintos entre sí.

Los triángulos también pueden clasificarse de acuerdo con la amplitud de sus ángulos.

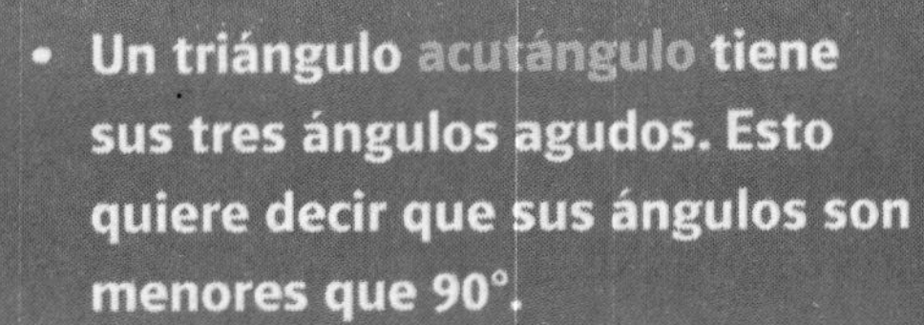

- Un triángulo **acutángulo** tiene sus tres ángulos agudos. Esto quiere decir que sus ángulos son menores que 90°.
- Un triángulo **rectángulo** tiene un ángulo recto, es decir, uno de sus ángulos es igual a 90°.

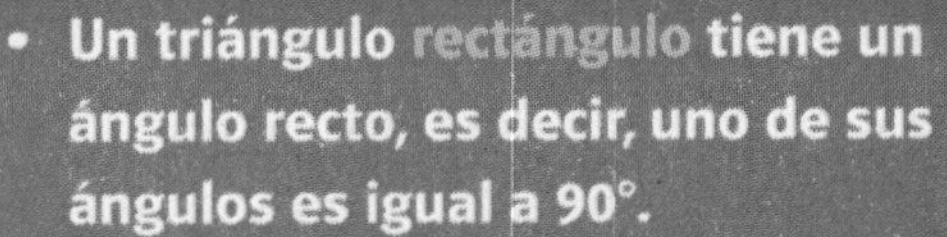

- Un triángulo **obtusángulo** tiene un ángulo obtuso, es decir, uno de sus ángulos es mayor que 90° pero menor que 180°.

Por otra parte, una propiedad interesante de los triángulos es que la suma de sus ángulos internos siempre es igual a 180°.

3. Reúnanse en equipos de tres integrantes.

Tracen tres triángulos diferentes, uno en cada tarjeta. Uno de los integrantes de un equipo elegido al azar pasará al frente; el resto de los equipos formulará una pregunta sobre las características del triángulo que se tiene que identificar. El alumno que sepa de qué triángulo se trata, se quedará con la tarjeta y alguien de su equipo pasará al frente.

Gana el equipo que identifique más triángulos.

Las preguntas se contestarán con "SI", "NO", o con un número.
Por ejemplo:

- ¿Tiene todos los lados iguales?
- ¿Es parecido a una escuadra?
- ¿Tiene un ángulo recto?
- ¿Tiene dos lados iguales y otro desigual?

Ingresen a la siguiente dirección:
http://www.isftic.mepsyd.es/w3/eos/MaterialesEducativos/mem2008/matematicas_primaria/menuppal.html
Seleccionen la opción "Formas y orientación en el espacio" e ingresen a "Triángulos. Clase".
En parejas, realicen los ejercicios para poner en práctica lo aprendido en esta lección.

Dato interesante

Todos los triángulos equiláteros son a la vez isósceles, pero no todos los triángulos isósceles son a la vez equiláteros.

4. En parejas, realicen la actividad.

Con los datos que se mencionan a continuación digan si todos los triángulos se pueden construir. En caso de que no digan por qué, y en caso de que sí, determinen la cantidad de soluciones posibles.

- Un triángulo equilátero cuyos ángulos internos sean de 60°, 50° y 60°.
- Un triángulo cuyos ángulos internos sean 100°, 30° y 50°.
- Un triángulo cuyos lados midan 3 cm, 4 cm y 5 cm, respectivamente.

Cuando terminen, comenten con sus compañeros a qué soluciones llegaron y con la orientación del maestro elaboren una conclusión general.

RETO

Reúnete con otros dos compañeros. Escriban en las líneas si los siguientes triángulos son equiláteros, isósceles o escalenos, y encierren los que también son triángulos rectángulos.

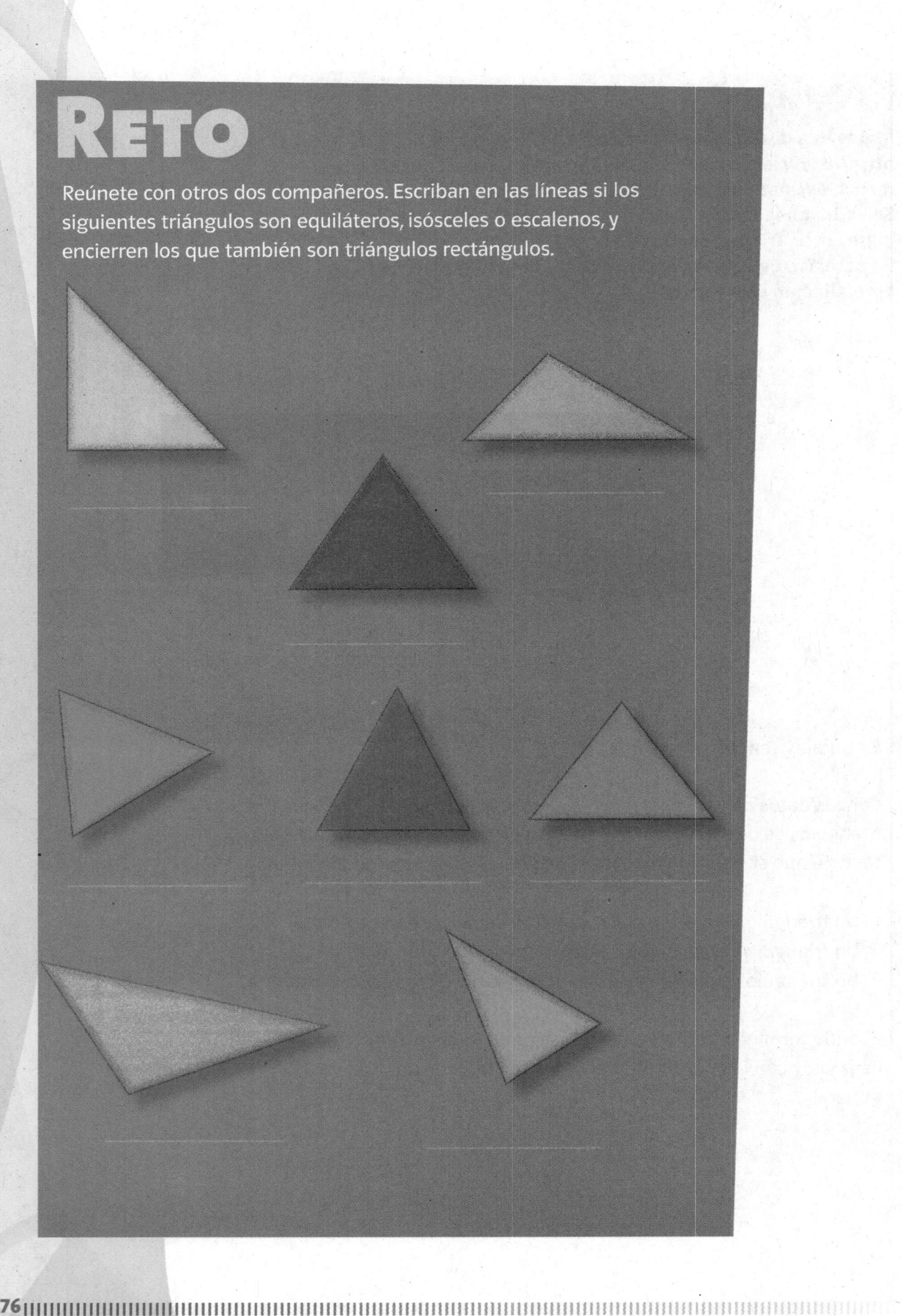

50 Las rectas

Lo que conozco. Dibuja 5 formas diferentes en que puedan caer 2 varas al lanzarlas.

- Si las varas se encimaron al caer, ¿qué tipos de ángulos formaron?
  ____
- Si las varas no se tocaron, ¿formaron líneas paralelas? _______________
  ¿Cómo lo sabes? _______________

1. Observa las semirrectas de la ilustración. Reúnete con un compañero y descríbanlas cada uno en su cuaderno.

_______________ _______________ _______________

Las rectas pueden ser:

- **Secantes:** Tienen un punto en común, es decir, se cruzan una sola vez.
- **Perpendiculares:** Son rectas secantes que se cruzan formando ángulos de 90°, a los cuales se les llama ángulos rectos.
- **Paralelas:** Son rectas que se encuentran en un mismo plano y nunca se intersecan. No tienen ningún punto en común.

Escribe a un lado de las semirrectas de la ilustración anterior cuáles son secantes, perpendiculares o paralelas.

2. En tu cuaderno traza lo siguiente:

- Dos rectas inclinadas paralelas.
- Tres rectas paralelas horizontales.
- Una recta y otra perpendicular a ella.

3. Sigue las instrucciones.

- Traza una línea que pase por el punto B y que sea perpendicular a la semirrecta A.

B

A

- Desde el punto C traza una paralela a la semirrecta D.

C

D

- Traza dos líneas secantes a la línea azul partiendo de los puntos rojos.

4. Con un compañero, observen cada par de líneas y contesten las preguntas siguientes. Expliquen sus respuestas.

- ¿Estas líneas se intersectan? ______________________
  ¿Por qué? ______________________

- ¿Estas líneas son perpendiculares? ______________________
  ¿Por qué? ______________________

- ¿Estas líneas son paralelas? ______________________
  ¿Por qué? ______________________

- ¿Estas líneas se intersectan? ______________________
  ¿Por qué? ______________________

- ¿Estas líneas son perpendiculares? ______________________
  ¿Por qué? ______________________

- En el siguiente diagrama identifica si el segmento que va de A hasta B es paralelo o perpendicular al segmento que va de C hasta D.

A C D B

51 Las combinaciones

Lo que conozco. Dibuja en tu cuaderno las diferentes formas en que Margarita puede acomodar sus piedras de colores en una repisa.

¿Cuántas formas diferentes encontraste? ___________

Si alguien de tu grupo encontró más formas de acomodar las piedras, verifica si te faltó alguna o si tu compañero tiene alguna repetida.

1. Realiza la siguiente actividad.

- Si quisieras pintar cada uno de los pétalos de la flor de un color distinto, ¿de cuántas formas diferentes podrías hacerlo si tienes los siguientes colores: rojo, azul, amarillo, anaranjado y morado?

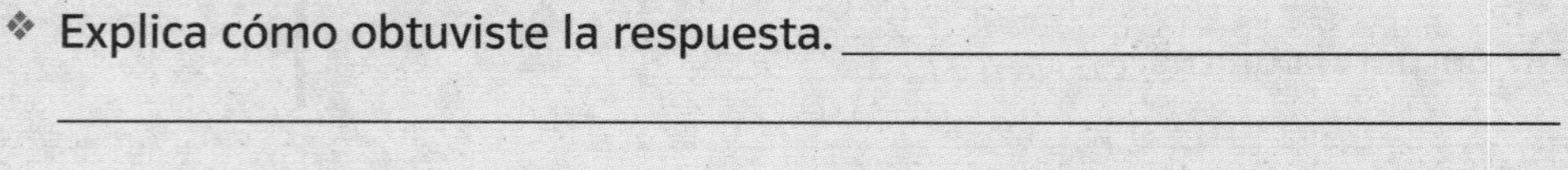

- Explica cómo obtuviste la respuesta. ____________________________
____
____

2. En parejas, resuelvan los problemas.

- Un niño tiene tres camisas: una roja, una azul y una verde; tres pantalones: uno blanco, uno negro y uno café y cuatro gorras: una roja, una azul, una beige y una negra. ¿Cuántas combinaciones diferentes puede formar con las camisas, los pantalones y las gorras? _____
- Alonso tiene un billete de 100 pesos y quiere saber de cuántas formas diferentes puede cambiarlo por billetes de 50 y de 20 pesos, y monedas de 10 pesos.

Dato interesante

Con los dígitos 0, 1, 2, 3, 4, 5, 6, 7, 8 y 9 puedes formar 362 880 (trescientos sesenta y dos mil ochocientos ochenta) números diferentes, usando todos los dígitos cada vez y sin repetirlos en el mismo número.

Integro lo aprendido

Ahora aplicarás los conocimientos construidos en el bloque. Resuelve los siguientes ejercicios.

1. Un camión que tiene 15 espacios de carga del mismo tamaño lleva en uno de ellos 40 cajas con 12 botellas de $\frac{1}{2}$ litro cada una. En otro espacio lleva 45 cajas con 24 paquetes de 0.250 kilogramos de galletas cada uno.
   Falta repartir 500 cajas del mismo tamaño y peso de otros productos en los demás espacios.

   - ¿Cuántos litros lleva en el primero de los espacios?
     ____
   - ¿Cuántos kilogramos lleva en el segundo de los espacios?
     ____
   - Si el reparto de las 500 cajas se efectúa lo más equitativamente posible y sin abrirlas, ¿cuántas cajas se colocarán en cada uno de los espacios restantes? __________

2. Pedro tiene que programar la combinación de un candado. Ayúdale, escribiendo todas las formas diferentes en que es posible establecer dicha combinación utilizando solamente los dígitos 0, 1, 2 y 3, sin repetirlos y usándolos todos cada vez.

____

Evaluación

A continuación resolverás problemas en los que aplicarás los conocimientos aprendidos en el bloque.

Instrucciones. Encierra la letra que corresponda a la respuesta correcta.

1. Alberto ahorró $ 654 para comprar 6 regalos para su familia. ¿Cuál es el procedimiento más adecuado para encontrar cuánto debe invertir en cada regalo y que sea equitativo?

a) 654 ÷ 6 = (6 ÷ 6) + (54 ÷ 6) =

b) 654 ÷ 6 = (60 ÷ 6) + (54 ÷ 6) =

c) 654 ÷ 6 = (65 ÷ 6) + (4 ÷ 6) =

d) 654 ÷ 6 = (600 ÷ 6) + (54 ÷ 6) =

2. Un barco traslada 7 370 litros de petróleo. Lo llevan envasado en botes de 55 litros en cada uno. ¿Cuántos botes lleva el barco?

a) 7 318

b) 1 474

c) 737

d) 134

3. Andrea compró 3 trozos de tela de $\frac{3}{4}$ de metro cada uno con el fin de elaborar títeres para presentar una obra en la escuela. ¿En dónde se expresa el total de tela que compró Andrea?

a)

b)

c)

d)

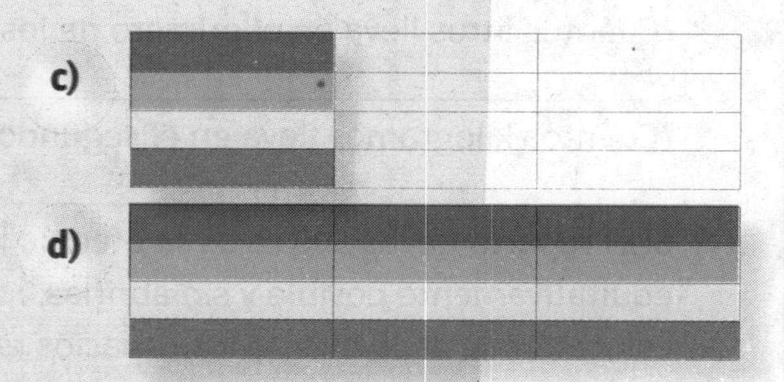

4. María compró 7 macetas para arreglar su casa. Si cada una le costó $12.70, ¿cuánto pagó por todas las macetas?

a) $85.70

b) $88.90

c) $84.70

d) $90.90

5. Un automóvil salió de la Ciudad de México y se dirige a Monterrey; ha recorrido 567 kilómetros. ¿Cuántos le faltan si la distancia entre las dos ciudades es de 800 kilómetros?

a) 367
b) 267
c) 343
d) 233

6. Observa los siguientes triángulos y selecciona la opción según el orden en que se encuentran.

a) Equilátero, rectángulo, escaleno, isósceles
b) Equilátero, isósceles, escaleno, rectángulo
c) Equilátero, rectángulo, isósceles, escaleno
d) Equilátero, isósceles, rectángulo, escaleno

7. Observa las siguientes líneas y selecciona las que sean perpendiculares.

a)

c)

b)

d)

8. Claudia tiene un pantalón rojo, uno café y otro blanco; también tiene cuatro camisas: azul, negra, verde y amarilla. ¿De cuántas maneras diferentes puede combinar su ropa?

a) 7
b) 9
c) 10
d) 12

Autoevaluación

En las casillas correspondientes, marca con una paloma ✓ lo que mejor refleje lo que piensas

Contenidos procedimentales	Siempre lo hago	Lo hago a veces	Difícilmente lo hago
Resuelvo problemas que implican dividir con números naturales.			
Resuelvo problemas que implican multiplicar con fracciones o decimales por números naturales.			
Calculo mentalmente la diferencia entre un número natural y un múltiplo de 10.			
Resuelvo problemas sencillos de conteo.			

Contenidos actitudinales	Siempre lo hago	Lo hago a veces	Difícilmente lo hago
Me gusta trabajar en equipo.			
Respeto las opiniones de mis compañeros.			
Cuando trabajo en equipo, aprendo de mis compañeros.			
Cuando trabajo en equipo, efectúo mejor las cosas que si las llevo a cabo individualmente.			

Bibliografía

Ávila Storer, Alicia, *et al.*, *Guía del estudiante. Construcción del conocimiento matemático en la escuela. Antología básica,* México, UPN, 1994.

Brousseau, Guy, "Educación y didáctica de las matemáticas", en *Educación Matemática*, vol. 12 (1), pp. 5-37, México, Grupo Editorial Iberoamérica, 2000.

Cantoral, Ricardo, *et al.*, *Desarrollo del pensamiento matemático*, México, Trillas, 2005.

Carbó, Liliana Vicent Gràcia Pellicer (coords.), *El mundo a través de los números*, Barcelona, Milenio, 2004.

Carraher, Terezinha, David Carraher y Analucía Schliemann, *En la vida diez, en la escuela cero*, México, Siglo XXI, 1995.

Casanova, María Antonia, *La evaluación educativa. Escuela básica*, México, SEP 1998 (Biblioteca del Normalista).

Chamorro, María del Carmen *et al.*, *Didáctica de las matemáticas*, Madrid, Pearson Educación, 2003.

López Frías, Blanca Silvia, y Elsa María Hinojosa Kleen, *Evaluación del aprendizaje*, México, Trillas, 2001.

National Council of Teachers of Mathematics, *Geometría informal*, México, Trillas, 1995.

Valiente Barderas, Santiago, *Algo acerca de los números. Lo curioso y lo divertido*, México, Alhambra Mexicana, 1995.

Matemáticas. Cuarto grado se imprimió
por encargo de la Comisión Nacional de Libros
de Texto Gratuitos, en los talleres de
Litografía Magno Graf, S.A. de C.V.,
con domicilio en Calle E No. 6,
Parque Industrial Puebla 2000,
C.P. 72220, Puebla, Pue.,
en el mes de junio de 2011.
El tiro fue de 3,132,050 ejemplares.

Impreso en papel reciclado

¿Qué opinas de tu libro?

Libro de Matemáticas de cuarto grado

De acuerdo con tu opinión, marca con una palomita ✓ en el cuadro correspondiente la calificación que le otorgas a cada una de las afirmaciones que aparecen sobre este libro de texto.

Categorías	Mucho	Poco	Nada
Me gusta mi libro			
Me gusta la portada.			
El índice me brinda información que necesito.			
Entendí fácilmente el lenguaje utilizado.			
Me gustan las imágenes que aparecen en el libro.			
Las imágenes me ayudaron a comprender el tema tratado.			
Las instrucciones para realizar las actividades me resultaron fáciles de entender.			
Las actividades me animaron a trabajar en equipo.			
Las actividades me permitieron expresarme ante el grupo.			
Las actividades me exigieron buscar información que no aparecía en el libro.			
Las autoevaluaciones me permitieron reflexionar sobre lo que había aprendido.			

¿Qué le agregarías al libro?

____

____

____

____

¿Qué le quitarías al libro?

____

____

____

____

Escribe algún comentario que desees hacer acerca del libro.

____

____

____

____

Recortable 1

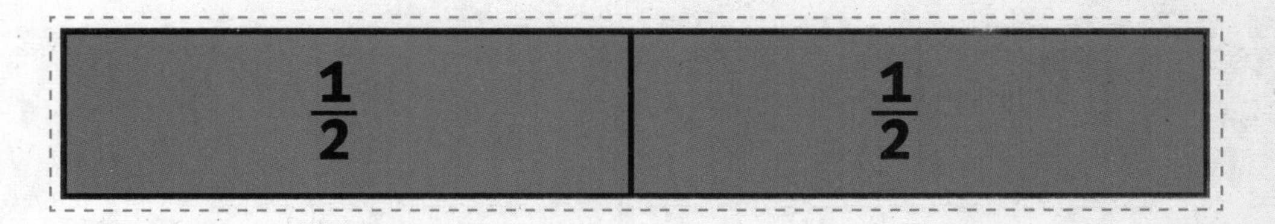

$\frac{1}{4}$	$\frac{1}{4}$	$\frac{1}{4}$	$\frac{1}{4}$

$\frac{1}{8}$	$\frac{1}{8}$	$\frac{1}{8}$	$\frac{1}{8}$	$\frac{1}{8}$	$\frac{1}{8}$	$\frac{1}{8}$	$\frac{1}{8}$

$\frac{1}{3}$	$\frac{1}{3}$	$\frac{1}{3}$

$\frac{1}{6}$	$\frac{1}{6}$	$\frac{1}{6}$	$\frac{1}{6}$	$\frac{1}{6}$	$\frac{1}{6}$

Recortable 2

Desarrollos geométricos de los siguientes cuerpos.

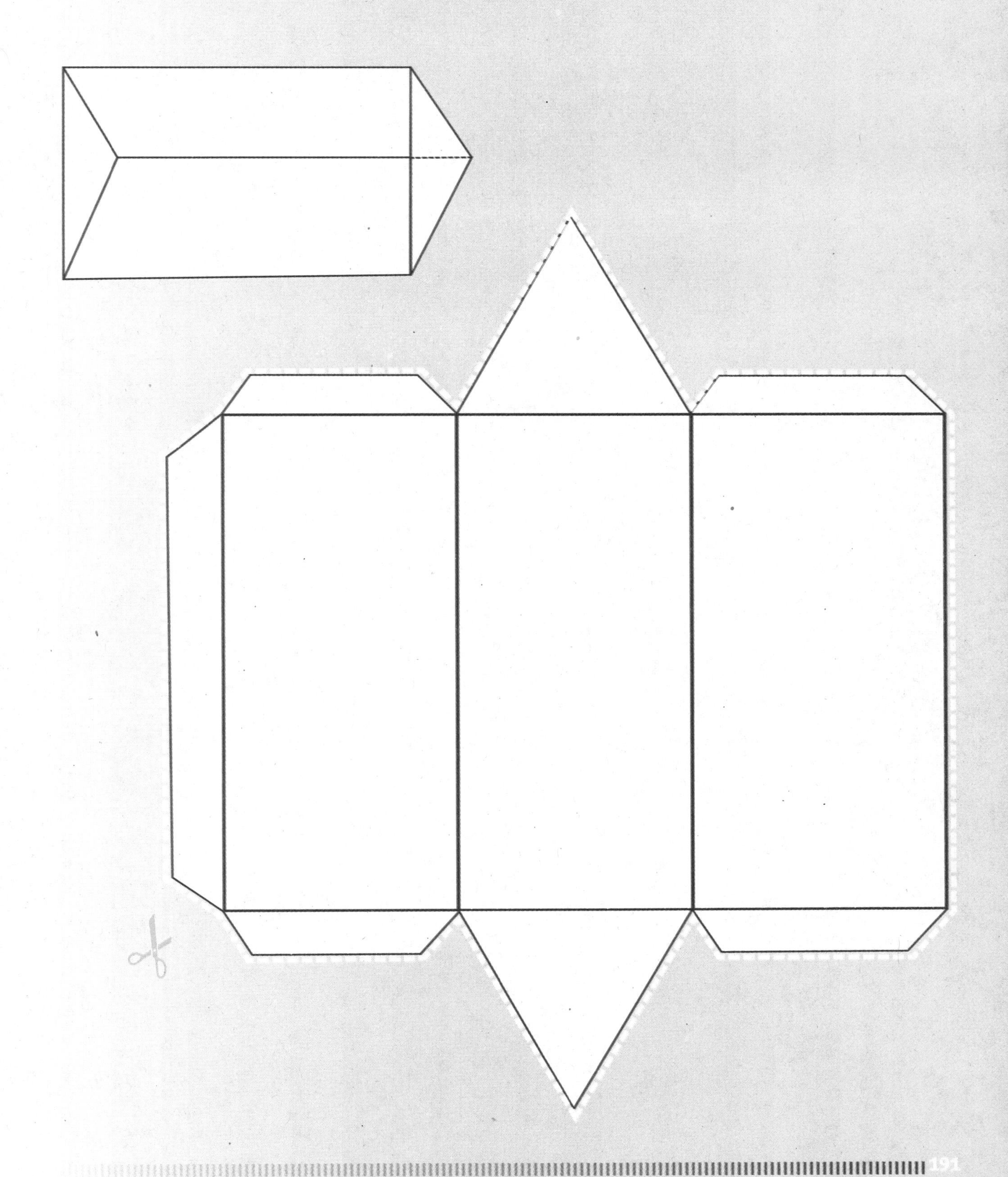

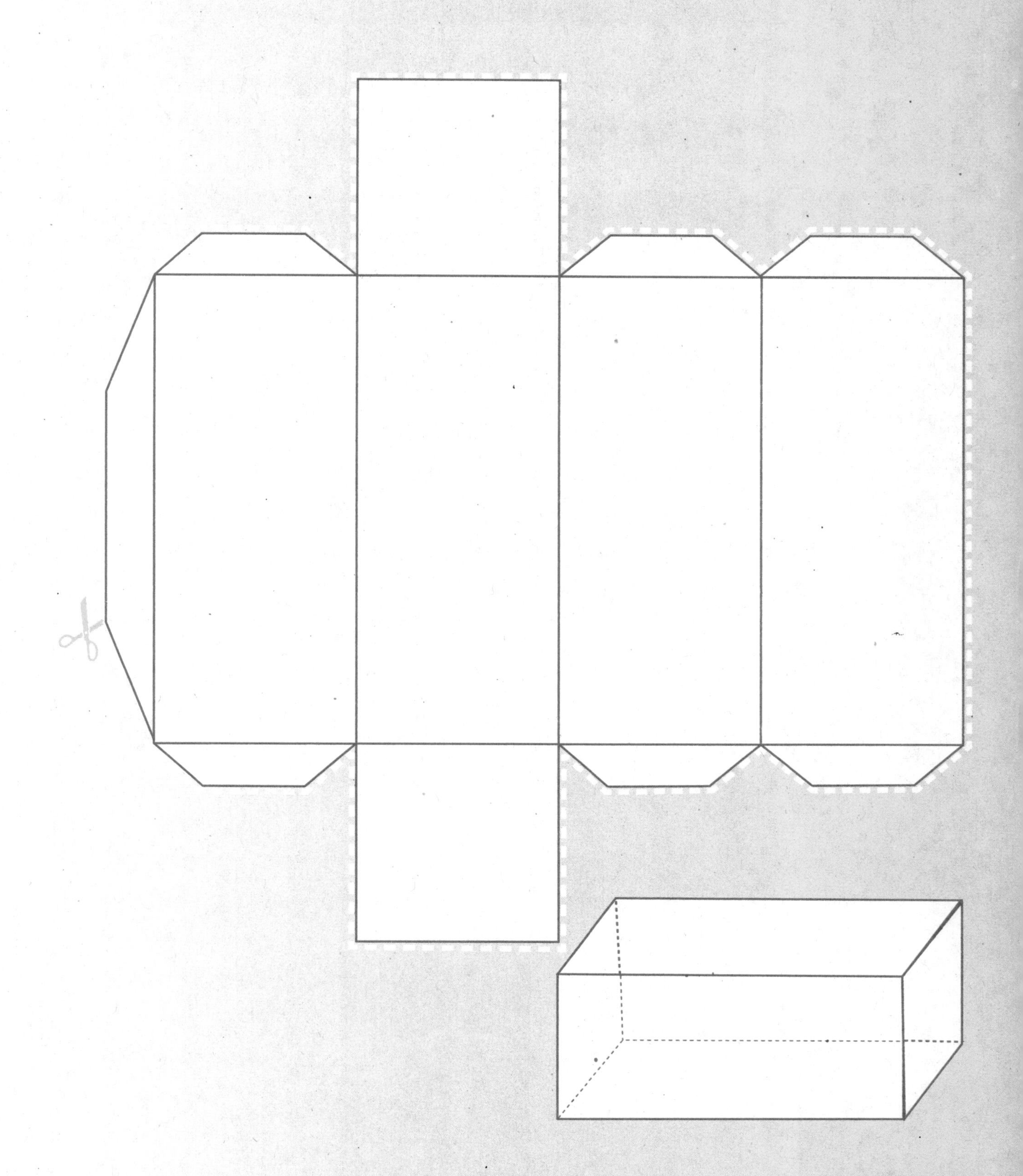